#홈스쿨링
#혼자공부하기

똑똑한
하루 사회

Chunjae
Makes
Chunjae

▼

똑똑한 하루 사회

기획총괄	박상남
편집개발	조미연, 윤순란, 김민경, 박진영
디자인총괄	김희정
표지디자인	윤순미, 박민정
내지디자인	박희춘, 한유정, 우혜림
제작	황성진, 조규영

발행일	2023년 1월 15일 2판 2023년 1월 15일 1쇄
발행인	(주)천재교육
주소	서울시 금천구 가산로9길 54
신고번호	제2001-000018호
고객센터	1577-0902

똑 똑 한

하루
사회

3-1

쉬운 용어 학습 | **재미있는 비주얼씽킹** | **간편한 스케줄링**
교과 용어를 쉽게 설명하여 | 만화, 사진으로 | 하루 6쪽, 주 5일, 4주 학습
교과 이해력 향상! | 흥미로운 탐구 학습! | 한 학기 공부습관 완성!

똑똑한 하루 사회

어떤 책인지 알면 공부가 더 재미있어.

핵심 용어

똑똑한 하루 사회 구성과 특징

· 핵심 용어만 쏙!
· 한자와 예문으로 이해 쏙쏙!
· 그림으로 기억력 UP!

1일~4일 학습

개념 동영상

빠른 정답 보기

① 개념 만화

② 개념 익히기

③ 개념 확인하기

· '① 개념 만화 → ② 개념 익히기 → ③ 개념 확인하기' 3단계로 하루 학습
· 하루 6쪽, 4주면 한 학기 공부 끝!

5일 마무리 학습

① 핵심 개념

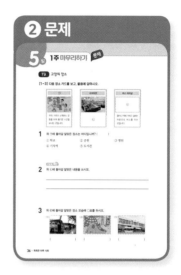

② 문제

· '**①** 핵심 개념 → **②** 문제' 2단계로 하루 학습

특강

누구나 100점 TEST

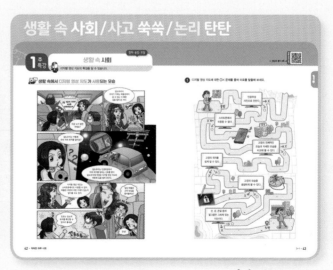

생활 속 사회 / 사고 쑥쑥 / 논리 탄탄

· 한 주에 배운 내용을 확인하는 누구나 100점 맞는 TEST
· 재미있고 새로운 유형의 특강으로 창의력, 사고력, 논리력 UP!

재미있게 똑똑해지네?

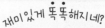

하루하루

조금씩 기초부터 쌓다 보면 어느새 자신감이 생겨.

똑똑한 하루 사회 차례

3주

4주

똑똑한 하루 사회를 함께할 친구들

도마

마계에서 전학 온
꼬마 마법사

수리

도마의 학교생활을
돕는 3학년 모범생

선생님

유쾌하고 이해심 많은
수리네 반 선생님

마왕

엄청난 딸 바보인
도마의 아빠

고장에 있는 장소에서의 경험을 떠올려봐!

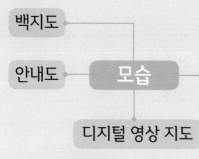

백지도

안내도 — 모습 — 고장 — 장소 — 학교

도서관

디지털 영상 지도

산

디지털 영상 지도에서 고장의 주요 장소를 찾아봐!

친구가 고장에 대한 생각이 나와 달라도 친구의 생각을 존중해 줘야 해.

이번 주에는 무엇을 공부할까? ❷

고장

뜻 사람이 많이 사는 지방이나 지역

예 우리 **고장**에는 기차역, 학교, 슈퍼마켓 등 다양한 장소가 있다.

> 고장에 대한 생각은 사람마다 달라.

도서관

圖　書　館
그림 도　글 서　집 관

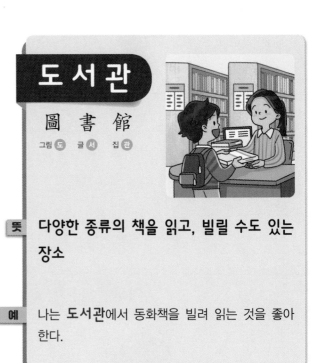

뜻 다양한 종류의 책을 읽고, 빌릴 수도 있는 장소

예 나는 **도서관**에서 동화책을 빌려 읽는 것을 좋아한다.

시청

市　廳
저자 시　관청 청

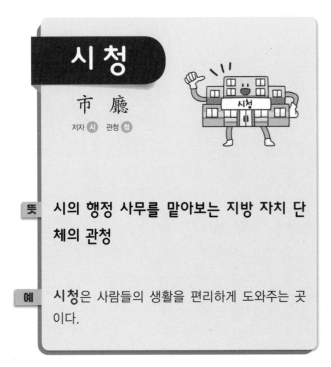

뜻 시의 행정 사무를 맡아보는 지방 자치 단체의 관청

예 **시청**은 사람들의 생활을 편리하게 도와주는 곳이다.

인공위성

뜻 지구와 같은 행성의 둘레를 돌 수 있도록 로켓을 이용해 쏘아 올린 비행 물체

예 **인공위성**은 위치, 날씨 등 다양한 정보를 알려 준다.

고장의 모습을 알 수 있는 지도가 있어.
디지털 영상 지도, 백지도, 안내도 등의 용어는 꼭 기억해.

안내도

案 內 圖
책상 **안** 안 **내** 그림 **도**

뜻 알리고자 하는 내용을 자세히 표시해 놓은 지도

예 고장 **안내도**를 통해 고장의 전체적인 모습을 알 수 있다.

백지도

白 地 圖
흰 **백** 땅 **지** 그림 **도**

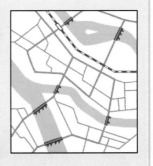

뜻 산, 강, 큰길 등 밑그림만 그려져 있는 지도

예 고장의 주요 장소를 **백지도**에 나타내 보았다.

디지털 영상 지도로
우리 고장의 모습을
살펴볼 수 있어.

디지털 영상 지도

뜻 컴퓨터 등 다양한 기기에서 이용할 수 있도록 디지털 정보로 표현한 지도

예 **디지털 영상 지도**는 컴퓨터와 스마트폰에서 쉽게 이용할 수 있다.

디지털 영상 지도를
이용하면 어떤 점이
좋을까?

어떤 점이
좋더라?

장소의 위치를
쉽게 찾을 수 있어.

일 # 고장의 장소

고장에는 다양한 장소가 있어!

 용어 체크

고장

사람이 많이 사는 지방이나 지역

예 우리 ❶ [   ]은 도시로, 많은 사람들이 살고 있다.

장소

어떤 일이 이루어지거나 일어나는 곳

예 학교, 놀이터, 공원은 내가 좋아하는 ❷ [   ]이다.

▲ 학교

만화로 재미있게 **개념** 쏙쏙! **용어** 쏙쏙!

 장소 그림과 장소 사진의 장점은 뭘까?

🐻 **용어 체크**

알림판

여러 사람에게 알리는 내용을 적거나 적는 것을 붙이는 판

예 교실 [❶   ]에 우리 반 행사 일정이 적혀 있다.

경험

자신이 실제로 해 보거나 겪어 봄.

예 놀이터에서 친구와 재미있게 놀았던 [❷   ]이 있다.

정답 ❶ 알림판 ❷ 경험

1 우리 고장의 여러 장소에서 겪은 경험을 떠올려 볼까?

학교 : 친구들과 교실에서 공부했음.

산 : 가족들과 함께 소풍을 갔음.

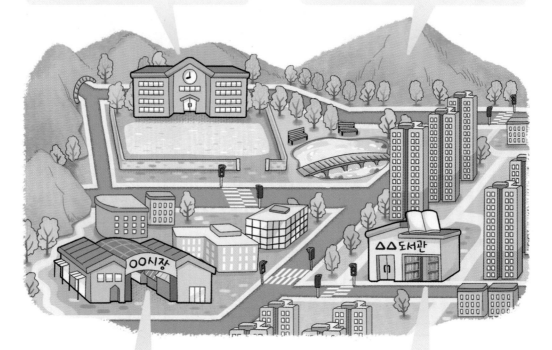

시장 : 엄마와 맛있는 음식을 사 먹었음.

도서관 : 재미있는 책을 빌려 읽었음.

☑ 학교에서 친구와 공부를 했고, ❶(시장 / 산)에서 엄마와 맛있는 음식을 사 먹었습니다.

2 우리 고장의 장소 알림판을 살펴볼까?

장소의 이름, 모습, 설명, 느낌 등을 넣어 장소 카드를 만들고,

장소 카드를 장소 알림판에 붙여서 완성해.

우리 고장의 장소 알림판

장소 그림

장소에 대한 생각이나 느낌을 잘 전달할 수 있음.

공원
우리 가족이 산책이나 운동을 하러 가는 곳

놀이터
친구들과 놀이 기구를 타고 술래 잡기도 하며 재미있게 노는 곳

슈퍼마켓
생활에 필요한 여러 가지 물건을 사고파는 곳

버스 터미널
할머니 댁에 가려고 설레는 마음으로 버스를 타는 곳

장소 사진

장소의 모습을 실감 나게 전달할 수 있음.

✓ 고장에는 공원, 놀이터, 슈퍼마켓 등이 있고, 장소 ❷(사진 / 그림)을 보면 장소의 모습을 실감 나게 알 수 있습니다.

정답 ❶ 시장 ❷ 사진

개념 체크

정답과 풀이 1쪽

1 친구들과 함께 공부하는 고장의 장소는 ☐☐ 입니다.

2 책을 빌려 읽을 수 있는 고장의 장소는 ☐☐☐ 입니다.

3 친구들과 ☐☐☐ 에서 놀이 기구를 탔습니다.

보기
• 학교   • 공원
• 기차역   • 도서관
• 놀이터   • 우체국

○ 정답과 풀이 1쪽

1 다음 경험과 관련된 고장의 장소는 어디입니까? (   )

> • 내가 하루 중에 가장 오래 있으면서 많은 경험을 하는 곳입니다.
> • 선생님, 친구들과 함께 공부도 하고 놀이도 하면서 즐거운 시간을 보냅니다.

① 공원　　　　　② 시장　　　　　③ 학교
④ 놀이터　　　　⑤ 우리 집

2 시장에서의 경험으로 알맞은 것은 어느 것입니까? (   )

① 친구와 미끄럼틀을 탔다.
② 가족과 만화 영화를 보았다.
③ 엄마와 맛있는 음식을 사 먹었다.
④ 이사를 간 친구에게 편지를 보냈다.
⑤ 동생과 관심 있는 책을 빌려 읽었다.

3 장소 카드에 들어갈 내용으로 알맞지 <u>않은</u> 것은 어느 것입니까? (   )

① 내 이름　　　　② 장소 설명　　　　③ 장소 사진
④ 장소 이름　　　⑤ 장소에 대한 생각

4 생활에 필요한 여러 가지 물건을 사고파는 장소는 어디입니까? (   )

① 병원　　　　　② 우체국　　　　③ 도서관
④ 미용실　　　　⑤ 슈퍼마켓

5 버스 터미널을 장소 카드로 만들 때 들어갈 설명으로 알맞은 것은 어느 것입니까? (   )

① 독감 예방 접종을 하는 곳이다.

② 우리 가족의 행복한 보금자리이다.

③ 할머니 댁에 가려고 버스를 타는 곳이다.

④ 내가 좋아하는 물건을 살 수 있는 곳이다.

⑤ 좋아하는 책을 빌려 읽을 수 있는 곳이다.

6 놀이터를 장소 카드로 만들 때 들어갈 장소 모습으로 알맞은 것의 기호를 쓰시오.

ⓒ 　ⓝ 　ⓓ

(   )

똑똑한 하루 퀴즈

7 뒤죽박죽 섞인 글자 카드들 속에서 ☐ 안에 들어갈 알맞은 장소를 찾아 쓰세요.

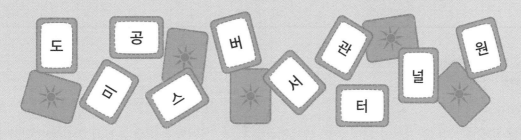

• 가족들과 산책도 하고 운동도 하는 장소는 ❶ ☐☐ 입니다.

• 좋아하는 책을 ❷ ☐☐☐ 에서 빌려 읽을 수 있습니다.

2일 우리 고장 그림 비교하기

🐻 같은 고장을 그린 그림이 왜 다를까?

🔍 용어 체크

📍 비교

둘 이상의 사물을 견주어 서로 간의 유사점, 차이점 등을 찾는 일

예 친구와 내가 그린 우리 고장의 모습을 [①] 해 보았다.

📍 입원

환자가 병을 고치기 위하여 일정한 기간 동안 병원에 들어가 머무는 것

예 감기가 심해 결국 [②] 까지 했다.

정답 ❶ 비교 ❷ 입원

 다르다고 틀린 게 아니야.

 용어 체크

📍 이해

남의 사정을 잘 헤아려 너그러이 받아들임.

예 고장에 대한 다른 생각도 ❶ [   ] 해야 한다.

📍 존중

높이어 귀중하게 대함.

예 의견이 다르더라도 서로 ❷ [   ] 해야 한다.

정답 ❶ 이해 ❷ 존중

1 우리 고장의 모습을 그리고 비교해 볼까?

고장의 모습

그리기	비교하기
고장에 있는 장소 중 머릿속에 떠오르는 장소를 중심으로 그림.	두 그림에 공통적으로 있는 것과 한 그림에만 있는 것을 비교해 봄.

두 그림에서 찾은 공통점

• 산, 학교, 아파트, 주민 센터, 큰길을 그림.
• 학교 건물의 모양이 네모임.

▲ 새롭게 달라진 장소를 그림.

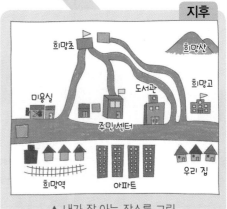

▲ 내가 잘 아는 장소를 그림.

두 그림에서 찾은 차이점

• 산과 학교의 모양이 다름.
• 두봉천, 모수천, 시장은 다빈이만 그렸고, 도서관, 희망역, 우리 집은 지후만 그렸음.

지후가 다빈이보다 자연의 모습을 단순하게 그렸어.

비슷한 경험을 했기 때문에 공통점이 있고, 사람마다 보고 듣는 게 ❶(같아 / 달라) 차이점도 있습니다.

2 우리 고장에 대한 생각과 느낌을 이야기해 볼까?

아름답게 바뀐 우리 고장의 모습을 다른 사람들에게 소개하고 싶었어.

내가 자주 가는 우리 고장의 학교와 도서관을 나타내고 싶었어.

우리 고장 곳곳에 있는 문화유산을 소개하고 싶었어.

우리 고장의 자랑인 희망산을 알리고 싶었어.

- 고장에 대한 생각이나 느낌은 각자의 경험에 따라서 서로 다를 수 있음.
- 고장에 대한 서로 다른 생각이나 느낌을 이해하고 존중해야 함.

우리 고장에 대한 서로 다른 생각과 느낌을 ❷(존중 / 무시)해야 합니다.

정답 ❶ 달라 ❷ 존중

개념 체크

◦ 정답과 풀이 1쪽

1 사람마다 생각하는 고장의 모습은 □□합니다.

2 사람마다 그린 고장의 모습과 방법이 □□□□.

3 고장에 대한 생각은 □□에 따라 서로 다를 수 있습니다.

보기
- 다양
- 동일
- 같습니다
- 다릅니다
- 경험
- 외모

[1~2] 다음은 다빈이와 지후가 그린 고장의 모습입니다.

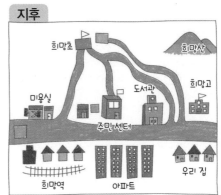

1 두 그림에서 공통적으로 볼 수 있는 것을 보기 에서 두 가지 찾아 쓰시오.

보기
　・산　　　　・학교　　　　・미용실　　　　・도서관

(　　　　　,　　　　　)

2 다빈이의 그림에는 있고 지후의 그림에는 <u>없는</u> 것을 두 가지 고르시오. (　　　,　　　)

① 두봉천　　　　　② 모수천　　　　　③ 아파트

④ 희망역　　　　　⑤ 주민 센터

3 우리 고장의 문화유산을 소개하고 싶은 마음을 엿볼 수 있는 그림에 ○표를 하시오.

(1) (　　　　　)　　(2) (　　　　　)　　(3) (　　　　　)

4 고장에 대한 생각과 느낌을 공유하는 태도가 바른 어린이를 쓰시오.

나와 다른 생각은 무시합니다.

▲ 현우

서로 다른 생각이나 느낌을 존중합니다.

▲ 다빈

나와 다른 생각은 잘못되었다고 알려 줍니다.

▲ 지연

(   )

집중 연습 문제 우리 고장을 그린 그림 비교하기

[5~6] 다음은 연후와 서연이가 그린 고장의 모습입니다.

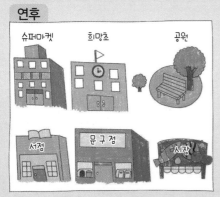

연후

슈퍼마켓   희망초   공원

서점   문구점   시장

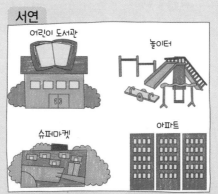

서연

어린이 도서관   놀이터

슈퍼마켓   아파트

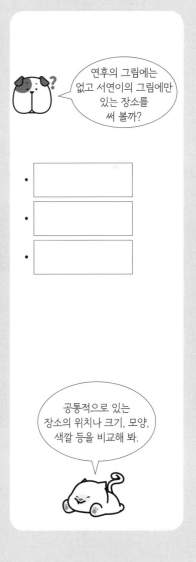

연후의 그림에는 없고 서연이의 그림에만 있는 장소를 써 볼까?

•

•

•

공통적으로 있는 장소의 위치나 크기, 모양, 색깔 등을 비교해 봐.

5 연후의 그림에만 있는 고장의 장소로 알맞은 것을 두 가지 고르시오. (,   )

① 시장   ② 놀이터   ③ 아파트

④ 문구점   ⑤ 어린이 도서관

6 같은 곳을 다르게 표현한 장소는 어디입니까? (   )

① 공원   ② 서점   ③ 놀이터

④ 슈퍼마켓   ⑤ 어린이 도서관

일 디지털 영상 지도

휴대 전화로 우리가 있는 위치를 알 수 있다고?

용어 체크

📍 디지털 영상 지도

항공 사진이나 인공위성 사진을 지도 형식으로 바꾸고, 컴퓨터 등 다양한 기기에서 이용할 수 있도록 디지털 정보로 표현한 지도

예 인공위성 사진을 이용해 ❶ [   ]를 만든다.

정답 ❶ 디지털 영상 지도

? 디지털 영상 지도의 기능에는 뭐가 있을까?

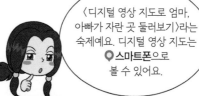

🐻 용어 체크

📍 스마트폰

무선 인터넷 접속 기능을 가진 휴대 전화

예 디지털 영상 지도는 ❶ [   ]에서 쉽게 이용할 수 있다.

📍 문명

인간의 지혜로 사회가 정신적, 물질적으로 발전해 간 상태

예 시대가 흐를수록 ❷ [   ]이 첨단화되어 가고 있다.

3일 개념 익히기

 개념 동영상

1 다양한 위치에서 우리 고장의 장소를 살펴볼까? 예 소양강 스카이워크

아래에서

위에서

앞에서

옆에서

같은 장소라도 사진을 찍는 위치에 따라 모습이 달라.

우주에서 찍은 인공위성 사진
소양강 스카이워크

☑ 고장의 장소를 다양한 위치와 거리에서 바라볼 수 있고, 그에 따라 장소의 ❶(이름 / 모습)도 다릅니다.

2 디지털 영상 지도로 고장의 모습을 살펴볼까?

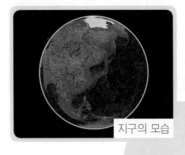
지구의 모습

우리 고장의 전체적인 모습

디지털 영상 지도는 인공위성 사진을 이용해 만든 지도야.

우리 고장의 자세한 모습

• 우리 고장의 위치를 쉽게 알 수 있음.
• 컴퓨터와 스마트폰에서 이용할 수 있음.
• 우리 고장의 모습을 생생하게 볼 수 있음.
• 우리 고장의 전체적인 모습과 자세한 모습을 비교해 볼 수 있음.

☑ 디지털 영상 지도로 고장의 전체적인 모습과 자세한 모습을 비교해 볼 수 있습니다.

3 디지털 영상 지도의 사용 방법을 알아볼까?

위치 찾기 기능
검색창에 찾고자 하는 장소를 입력
하면 지도에서 위치를 찾을 수 있음.

지도 변환 기능
원하는 지도를 누르면 지도의
종류를 바꿀 수 있음.

마우스를 누른
상태에서 스크롤을
움직여도 확대되거나
축소돼.

이동 기능
마우스를 누른 채로 움직이면 지도 안
에서 원하는 위치로 이동할 수 있음.

확대와 축소 기능
[+], [−] 단추를 누르면 확대와
축소 기능을 이용할 수 있음.

✓ 디지털 영상 지도는 **위치 찾기 기능, 이동 기능, 확대와** ❷(삭제 / **축소**) **기능** 등이 있습니다.

정답 ❶ 모습 ❷ 축소

개념 체크

◦ 정답과 풀이 2쪽

1 같은 장소라도 사진을 찍는 [ ][ ]에 따라 모습이 다릅니다.

2 인공위성 사진은 [ ][ ]에서 찍은 사진입니다.

3 디지털 영상 지도를 [ ][ ]하면 지역을 자세히 볼 수 있습니다.

보 기
• 위치   • 영상
• 우주   • 바다
• 축소   • 확대

3일 개념 확인하기

1 소양강 스카이워크를 아래에서 찍은 사진에 ○표를 하시오.

(1)

(　　　　　　　）

(2)

(　　　　　　　）

(3)

(　　　　　　　）

2 인공위성 사진에 대해 잘못 알고 있는 어린이를 쓰시오.

> 소윤 : 우주에서 찍은 사진이야.
>
> 지후 : 고장을 위, 아래, 앞, 옆 등 다양한 위치에서 살펴볼 수 있어.

(　　　　　　　）

3 다음 ㉠에 들어갈 검색 결과로 알맞지 않은 것은 어느 것입니까? (　　　　　)

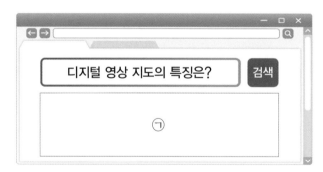

디지털 영상 지도의 특징은?　검색

㉠

① 인공위성 사진을 이용해 만들었다.

② 우리 고장의 위치를 쉽게 알 수 있다.

③ 컴퓨터, 스마트폰에서 이용할 수 없다.

④ 우리 고장의 모습을 생생하게 볼 수 있다.

⑤ 우리 고장의 전체적인 모습과 자세한 모습을 비교해 볼 수 있다.

4 다음 방법으로 이용할 수 있는 디지털 영상 지도의 기능은 어느 것입니까? (   )

> 마우스를 누른 채로 움직입니다.

① 이동 기능   ② 지도 변환 기능   ③ 증강 현실 기능
④ 길이 재기 기능   ⑤ 확대와 축소 기능

5 다음 디지털 영상 지도의 기능은 무엇입니까? (   )

① 장소 간 거리를 알 수 있다.
② 지도의 종류를 바꿀 수 있다.
③ 지도에서 장소의 위치를 찾을 수 있다.
④ 지도를 확대하거나 축소해서 볼 수 있다.
⑤ 지도 안에서 원하는 위치로 이동할 수 있다.

똑똑한 **하루 퀴즈**

6 다음 ☐ 안에 들어갈 용어를 말 상자에서 모두 찾아 ○표를 하세요.

> ❶ 인공위성 사진은 ☐☐에서 찍은 사진임.
> ❷ ☐☐☐☐은 사람들이 만들어 쏘아 올린
> 비행 물체임.
> ❸ 디지털 영상 지도는 ☐☐☐와 스마트폰에서
> 쉽게 이용할 수 있음.

인	☆	누	리	☆
다	공	확	☆	가
☆	영	위	대	상
지	도	☆	성	우
컴	퓨	터	☆	주

4일 고장의 주요 장소

🐻❓ **고장의 주요 장소는 어디일까?**

🐼 **용어 체크**

📍 시청

시의 행정 사무를 맡아보는 기관

예 주로 고장의 중심지에 [①　　　] 이 위치해 있다.

📍 향교

지방의 교육을 담당했던 교육 기관

예 우리 고장에 있는 [②　　　] 는 유명한 관광지이다.

정답 ① 시정 ② 향교

 고장의 장소를 백지도에 효과적으로 표현해 볼까?

1
주

4일 개념 익히기

1 디지털 영상 지도로 우리 고장의 주요 장소를 살펴볼까? 예 강원도 춘천시

자연과 관련 있는 곳

사람들의 생활을 편리하게 도와주는 곳

다른 고장으로 이동할 때 이용하는 곳

문화유산이나 유명한 관광지가 있는 곳

북한강

봉의산

강원도청

춘천역

춘천시청

춘천 향교

☑ 주요 장소는 기차역, ❶(시청 / 우리 집)처럼 눈에 잘 띄거나 사람들이 자주 찾는 곳입니다.

2 우리 고장의 주요 장소를 백지도에 나타내 볼까?

고장의 여러 장소 중에서 백지도에 나타내고 싶은 장소를 정함.

고장의 주요 장소들을 백지도에 표시함.

중앙 로터리 아래쪽에 닭갈비 골목!

춘천역   닭갈비 골목   생태 공원

선택한 장소들의 위치를 디지털 영상 지도에서 찾아봄.

지도를 확대해서 선택한 장소를 찾아봐.

주요 장소에 대한 생각과 느낌을 표현함.

특별한 표시

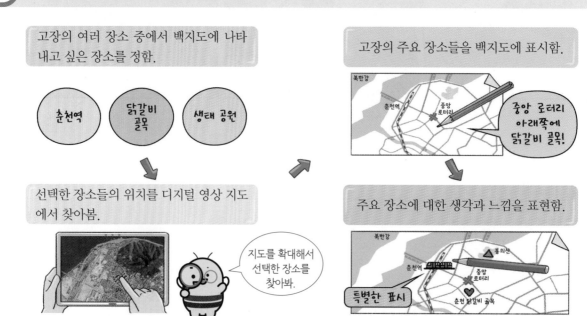

☑ 장소의 특징을 잘 나타낼 수 있는 그림이나 기호를 사용해 효과적으로 나타냅니다.

3 우리 고장의 자랑할 만한 장소를 안내도로 소개해 볼까?

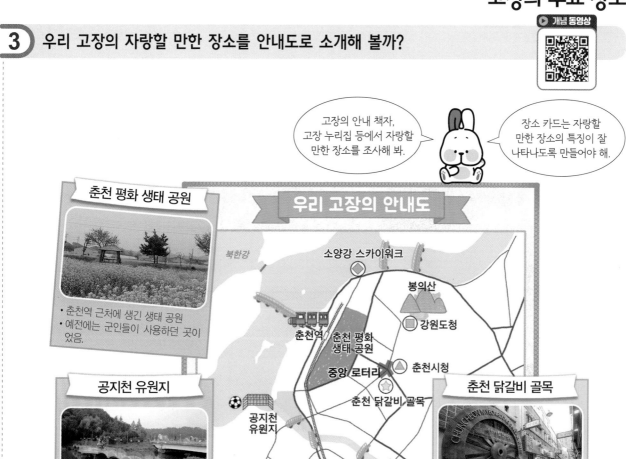

고장의 안내 책자, 고장 누리집 등에서 자랑할 만한 장소를 조사해 봐.

장소 카드는 자랑할 만한 장소의 특징이 잘 나타나도록 만들어야 해.

우리 고장의 안내도

춘천 평화 생태 공원
• 춘천역 근처에 생긴 생태 공원
• 예전에는 군인들이 사용하던 곳이었음.

공지천 유원지
• 운동 시설과 조각 공원이 있음.
• 북한강의 풍경을 감상할 수 있는 산책로가 있음.

춘천 닭갈비 골목
• 중앙 로터리 근처에 있는 명동 거리에 있음.
• 닭갈비를 파는 가게가 많이 있음.

✔ 우리 고장의 ❷(안내도 / 백지도)로 고장의 대표적인 장소들을 더욱 분명하게 알려 줄 수 있습니다.

정답 ❶ 시청 ❷ 안내도

🐻 **개념 체크**

정답과 풀이 2쪽

1 우리 고장의 주요 장소에는 도청, ☐☐☐ 등이 있습니다.

2 공원은 ☐☐☐으로 칠해서 효과적으로 나타냅니다.

3 고장의 자랑할 만한 장소는 ☐☐ 누리집에서 찾아봅니다.

보기
• 기차역   • 친구 집
• 초록색   • 검은색
• 고장   • 학교

○ 정답과 풀이 2쪽

1 다음 주제와 어울리는 고장의 주요 장소는 어디입니까? (   )

> 다른 고장으로 이동할 때 이용하는 곳

① 춘천역   ② 강원도청
③ 춘천시청   ④ 춘천 향교
⑤ 춘천 닭갈비 골목

2 다음 고장의 주요 장소의 공통점은 무엇입니까? (   )

> • 북한강   • 소양강   • 봉의산

① 물건을 사고파는 곳
② 자연과 관련 있는 곳
③ 높은 건물이 많이 있는 곳
④ 다른 고장으로 이동할 때 이용하는 곳
⑤ 사람들의 생활을 편리하게 도와주는 곳

3 다음 어린이들이 설명하고 있는 장소를 백지도에서 찾아 쓰시오.

(   )

4 고장의 자랑할 만한 장소를 조사하는 알맞은 방법을 두 가지 고르시오. (　　, 　　)

① 지구본 살펴보기

② 세계 지도 살펴보기

③ 학교 누리집 방문하기

④ 고장의 누리집 찾아보기

⑤ 고장의 안내 책자 찾아보기

집중 연습 문제 장소 카드 만들기

[5~6] 다음은 민수가 자랑할 만한 장소로 만든 장소 카드입니다.

ㄱ
춘천 닭갈비 골목

· 중앙 로터리 근처에 있는 명동 거리에 있음.
· 닭갈비를 파는 가게가 많음.

ㄴ
공지천 유원지

· 운동 시설과 조각 공원이 있음.
· 북한강의 풍경을 감상할 수 있는 산책로가 있음.

경치가 아름다운 곳, 다른 사람들이 인정할 만한 특징이 있는 곳이 자랑할 만한 장소가 될 수 있어.

5 다음 이유로 민수가 만든 장소 카드는 무엇인지 기호를 쓰시오.

아름다운 경치를 다른 고장 친구에게 자랑하고 싶었어.

(　　　　　　　　　)

6 춘천 닭갈비 골목이 춘천을 대표할 수 있는 장소가 될 수 있는 까닭으로 알맞은 것에 ○표를 하시오.

(1) 역사적으로 중요한 장소입니다. (　　　)

(2) 특징이 있는 고장의 유명한 관광지입니다. (　　　)

닭갈비 골목은 다른 고장 사람들도 찾는 곳이야.

1 고장

① 뜻 : 사람들이 모여 사는 곳

② 고장의 여러 장소

고장에는 다양한 장소가 있어.

학교

친구들과 함께 교실에서 공부하는 곳

도서관

좋아하는 책을 빌려 읽을 수 있는 곳

버스 터미널

할머니 댁에 가기 위해 버스를 타는 곳

2 고장의 모습을 그리고 비교하기

그리는 방법	내가 잘 아는 장소, 내가 좋아하는 장소, 새롭게 달라진 장소 등 머릿속에 떠오르는 장소를 중심으로 그림.
비교하는 방법	• 두 그림에 공통적으로 있는 건물이나 자연의 모습을 찾아 그 위치나 크기, 모양, 색깔 등을 비교함. • 두 그림 중 어느 한 그림에만 있는 건물이나 자연의 모습이 있는지 찾아봄.
고장에 대한 생각 공유하기	• 고장에 대한 생각과 느낌은 각자의 경험에 따라 다를 수 있음. • 고장에 대한 서로 다른 생각과 느낌을 이해하고 존중해야 함.

3 디지털 영상 지도로 고장의 모습 살펴보기

디지털 영상 지도는 컴퓨터, 스마트폰 등에서 쉽게 볼 수 있어.

디지털 영상 지도	항공 사진이나 인공위성 사진을 지도 형식으로 바꾸고, 컴퓨터 등 다양한 기기에서 이용할 수 있도록 디지털 정보로 표현한 지도
기능	위치 찾기 기능, 이동 기능, 지도 변환 기능, 확대와 축소 기능 등
이용하면 좋은 점	• 우리 고장의 위치를 쉽게 알 수 있음. • 우리 고장의 모습을 생생하게 볼 수 있음. • 우리 고장의 전체적인 모습과 자세한 모습을 비교해 볼 수 있음.

4 고장의 주요 장소를 백지도에 나타내기

주요 장소	사람들의 생활을 편리하게 도와주는 곳, 다른 고장으로 이동할 때 이용하는 곳, 자연과 관련 있는 곳, 문화유산이나 유명한 관광지가 있는 곳 등 눈에 띄거나 사람들이 자주 찾는 곳
백지도	산, 강, 큰길 등의 밑그림만 그려져 있는 지도
주요 장소를 백지도에 나타내기	 백지도에 나타내고 싶은 장소를 정함. ➡ 선택한 장소들의 위치를 디지털 영상 지도에서 찾아봄. ➡ 고장의 주요 장소들을 백지도에 표시함. ➡ 주요 장소에 대한 생각과 느낌을 표현함.

백지도는 고장의 모습을 한눈에 알아보기 쉬워.

고장의 주요 장소를 백지도에 어떻게 표현하면 좋을까?

춘천 닭갈비 골목은 숟가락, 젓가락을 그림으로 그려서 먹거리와 관련 있다는 표시를 하면 좋을 것 같아.

춘천 평화 생태 공원은 가을이 되면 코스모스가 많이 피니까 꽃 모양으로 표시하는 게 어때?

좋아! 장소의 특징을 잘 나타낼 수 있는 그림이나 기호를 활용해서 다른 장소들도 표현해 보자.

1일 고장의 장소

[1~3] 다음 장소 카드를 보고, 물음에 답하시오.

ㄱ

우리 가족이 산책이나 운동을 하며 즐거운 시간을 보내는 곳입니다.

슈퍼마켓

ㄴ

버스 터미널

ㄷ

할머니 댁에 가려고 설레는 마음으로 버스를 타는 곳입니다.

1 위 ㄱ에 들어갈 알맞은 장소는 어디입니까? (　　　　)

① 학교　　　　　② 공원　　　　　③ 병원

④ 기차역　　　　⑤ 도서관

서술형

2 위 ㄴ에 들어갈 알맞은 내용을 쓰시오.

_____

_____

3 위 ㄷ에 들어갈 알맞은 장소 모습에 ○표를 하시오.

(1) 　　　(2) 　　　(3)

(　　　　　　)　　　(　　　　　　)　　　(　　　　　　)

2일 우리 고장 그림 비교하기

4 다빈이와 지후가 그린 고장의 모습을 바르게 비교한 것은 어느 것입니까? ( )

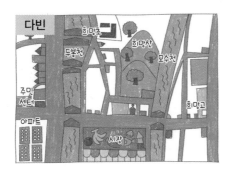
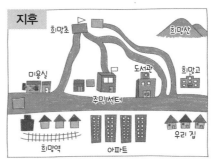

① 두 친구 모두 기차역을 그렸다.

② 두 친구 모두 학교를 그렸지만 다르게 표현했다.

③ 다빈이는 길을 그렸지만 지후는 그리지 않았다.

④ 지후의 그림에는 주민 센터가 있지만 다빈이의 그림에는 없다.

⑤ 지후의 그림에는 두봉천과 모수천이 있지만 다빈이의 그림에는 없다.

5 우리 고장을 그린 그림을 비교하며 알 수 있는 점을 보기 에서 찾아 기호를 쓰시오.

> 보 기
>
> ㉠ 사람마다 생각하는 고장의 모습이 같습니다.
>
> ㉡ 사람마다 그린 고장의 모습과 방법이 다릅니다.

( )

6 친구와 고장의 장소에 대한 생각이 다를 때 가져야 할 태도를 바르게 말한 어린이를 쓰시오.

> 서아 : 친구의 생각을 무시하면 돼.
>
> 민주 : 나와 다른 친구의 생각을 존중해야 해.
>
> 연후 : 내 생각이 옳다고 친구에게 알려 주면 돼.

( )

3일 디지털 영상 지도

7 오른쪽 사진은 소양강 스카이워크를 어느 위치에서 찍은 것입니까? (   )

① 앞   ② 옆

③ 위   ④ 아래

⑤ 우주

8 디지털 영상 지도에 대한 설명으로 알맞지 <u>않은</u> 것을 보기 에서 찾아 기호를 쓰시오.

> 보기
>
> ㉠ 인공위성 사진을 이용해 만듭니다.
> ㉡ 어떤 장소의 위치를 쉽게 알 수 있습니다.
> ㉢ 컴퓨터와 스마트폰에서 이용할 수 있습니다.
> ㉣ 고장을 자세히 볼 수 없고 폭넓게 볼 수만 있습니다.

(   )

9 검색창에 찾고자 하는 장소를 입력하여 이용하는 디지털 영상 지도의 기능은 무엇입니까?

(   )

① 증강 현실 기능   ② 길이 재기 기능   ③ 위치 찾기 기능

④ 지도 변환 기능   ⑤ 확대와 축소 기능

10 다음 방법으로 이용할 수 있는 디지털 영상 지도의 기능을 쓰시오.

> ＋, － 단추를 누르거나, 마우스를 누른 상태에서 스크롤을 움직입니다.

(   )

4일 고장의 주요 장소

11 춘천시에 있는 주요 장소를 백지도에 효과적으로 나타낸 어린이를 쓰시오.

> 민수 : 춘천역을 기차 모양으로 나타냈어.
> 초롱 : 춘천시청을 숟가락 모양으로 나타냈어.
> 영경 : 춘천 닭갈비 골목은 연필 모양으로 나타냈어.

(   )

12 오른쪽 장소가 춘천을 대표할 만한 장소가 될 수 있는 까닭으로 알맞은 것은 어느 것입니까? (   )

① 경치가 아름답기 때문에

② 교통의 중심지이기 때문에

③ 문화유산이 유명한 곳이기 때문에

④ 사람들의 생활을 편리하게 도와주는 곳이기 때문에

⑤ 다른 고장 사람들에게 알려지지 않은 곳이기 때문에

▲ 공지천 유원지

13 다음 ㉠, ㉡에 들어갈 장소에 적힌 숫자가 비밀번호의 뒷자리예요. 비밀번호를 완성하세요.

- 자연과 관련 있는 곳 : ㉠
- 문화유산이 있는 곳 : 춘천 향교
- 이동할 때 이용하는 곳 : ㉡

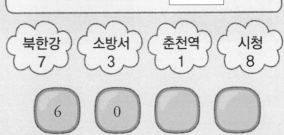

1 다음은 고장의 어느 장소에서 있었던 경험을 떠올린 것입니까? ( )

① 산　　　　② 학교

③ 시장　　　④ 도서관

⑤ 놀이터

2 책을 빌려 읽을 수 있는 고장의 장소는 어디입니까? ( )

① 병원　　② 도서관　　③ 미용실

④ 영화관　⑤ 놀이터

3 다음 중 장소의 모습을 실감 나게 보여 주는 장소 카드에 ○표를 하시오.

(1)

생활에 필요한 물건을 사고파는 곳입니다.

(2)

친구들과 놀이 기구를 타고 술래잡기도 하며 재미있게 노는 곳입니다.

( )　　　( )

4 연후와 서연이의 그림을 비교한 내용으로 알맞지 <u>않은</u> 것은 어느 것입니까? ( )

① 연후만 공원을 그렸다.

② 서연이만 어린이 도서관을 그렸다.

③ 연후와 서연이 모두 시장을 그렸다.

④ 연후와 서연이 모두 슈퍼마켓을 그렸다.

⑤ 연후와 서연이 모두 도로를 그리지 않았다.

5 민수가 그린 그림으로 알맞은 것은 어느 것입니까? ( )

민수 : 내가 자주 가는 우리 고장의 학교와 도서관을 나타내고 싶었어.

①

②

③

④

6 소양강 스카이워크를 인공위성에서 찍은 사진은 어느 것입니까? ( )

①    ②

③    ④

7 다음 디지털 영상 지도의 ㉠~㉣ 기능에 대한 설명으로 알맞은 것을 모두 찾아 ○표를 하시오.

㉠ : 지도의 종류를 바꿀 수 있습니다.
( )

㉡ : 지도에서 장소의 위치를 찾을 수 있습니다. ( )

㉢ : 원하는 위치로 이동할 수 있습니다.
( )

㉣ : 확대와 축소의 기능을 이용할 수 있습니다. ( )

8 다음에서 설명하는 것은 무엇인지 보기 에서 찾아 쓰시오.

> 항공 사진이나 인공위성 사진을 지도 형식으로 바꾸고, 컴퓨터 등 다양한 기기에서 이용할 수 있도록 디지털 정보로 표현한 지도

보기
• 백지도   • 세계 지도
• 안내도   • 디지털 영상 지도

( )

9 다음 고장의 주요 장소의 공통점은 무엇입니까? ( )

• 시청   • 도청   • 병원

① 문화유산이 있는 곳
② 자연환경이 아름다운 곳
③ 유명한 관광지가 있는 곳
④ 다른 고장으로 이동할 때 이용하는 곳
⑤ 사람들의 생활을 편리하게 도와주는 곳

10 닭갈비 골목을 백지도에 나타낼 때 알맞은 그림은 어느 것입니까? ( )

① 연필   ② 기차   ③ 버스
④ 축구공   ⑤ 숟가락과 젓가락

1주 특강

생활 속 사회

디지털 영상 지도의 특징을 알 수 있습니다.

생활 속에서 디지털 영상 지도가 사용되는 모습

1 디지털 영상 지도에 대한 ○✕ 문제를 풀며 미로를 탈출해 보세요.

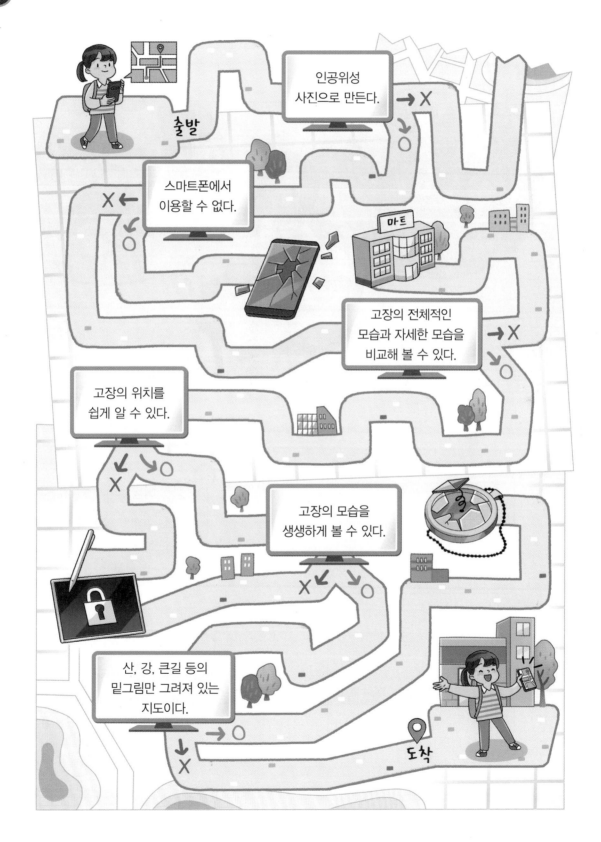

2 도마는 고장의 장소에서 있었던 경험을 떠올리며 장소 카드를 만들었어요. 도마가 만든 장소 카드에 들어갈 장소 이름과 설명으로 알맞은 것의 기호를 모두 쓰세요.

ㄱ
- 장소 이름 : 슈퍼마켓
- 장소 설명 : 생활에 필요한 여러 가지 물건을 사고파는 곳

ㄴ
- 장소 이름 : 버스 터미널
- 장소 설명 : 할머니 댁에 가려고 설레는 마음으로 버스를 타는 곳

ㄷ
- 장소 이름 : 산
- 장소 설명 : 우리 가족이 나들이를 가는 곳

ㄹ
- 장소 이름 : 도서관
- 장소 설명 : 내가 좋아하는 책을 빌려 읽을 수 있는 곳

(,   )

고장의 주요 장소를 찾아보며, 디지털 영상 지도의 기능에 대해 알 수 있습니다.

3 도마와 수리가 고장의 주요 장소를 디지털 영상 지도에서 찾아보고 있어요.

(1) 위 밑줄 친 고장의 주요 장소로 알맞지 <u>않은</u> 곳에 ○표를 하세요.

(2) 수리와 도마가 이용한 디지털 영상 지도의 기능은 무엇인지 기호를 쓰세요.

(　　　　　　　)

논리 탄탄

블록 명령을 완성해 보며, 고장에 있는 장소의 특징을 알 수 있습니다.

4 도마와 수리가 퀴즈를 풀고 있어요. ❶, ❷에 들어갈 알맞은 장소와 숫자는 무엇인지 쓰세요.

목적지 : 물건을 살 수 있는 곳

앞으로 **2** 칸 가기 ➡

오른쪽 으로 돌기

앞으로 ㉠ 칸 ➡

㉡ 으로 돌기

앞으로 **2** 칸 가기 ➡

정답

❶ ◯ ◯　　❷ ◯

비밀번호를 풀어 보며, 디지털 영상 지도의 특징을 알 수 있습니다.

5 수리는 도마와 요술 램프를 찾아 해골 동굴에 갔어요. 동굴에 들어갈 수 있는 비밀번호를 찾아보세요.

여기에 적혀 있어!

👉 다음 ○ 안에 들어갈 글자 카드에 적힌 숫자를 순서대로 누르시오.

디지털 영상 지도는 우주에서 찍은 ○○○○ 사진으로 만듭니다.

| 인 1 | 스 2 | 공 3 | 키 4 | 위 5 | 성 6 |

비밀번호

○ ○ ○ ○

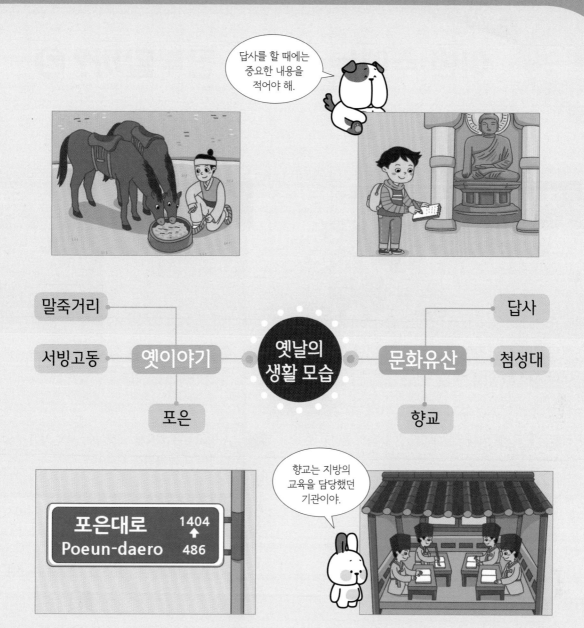

답사를 할 때에는 중요한 내용을 적어야 해.

말죽거리

서빙고동 옛이야기 옛날의 생활 모습 문화유산 답사

포은 첨성대

향교

향교는 지방의 교육을 담당했던 기관이야.

포은대로 1404 ↑
Poeun-daero 486

고장의 옛이야기와 문화유산을 살펴보면 고장의 옛날 모습과 옛날 사람들의 생활 모습을 알 수 있어요.

지명

地 名
땅 **지** 이름 **명**

장승 마을 탑골
밤나무골

뜻 사람들이 살아가면서 만들어 낸 어떤 고장이나 장소의 이름

예 **지명**은 땅의 생김새나 옛날에 있었던 일 등과 관련이 깊다.

빙고

氷 庫
얼음 **빙** 창고 **고**

뜻 얼음을 넣어 두는 창고

예 **서빙고동**은 얼음을 저장하는 서쪽 창고가 있는 곳이라는 데서 붙여진 지명이다.

안성맞춤

안성

뜻 어떤 물건이 맞춘 것처럼 딱 들어맞음.

예 **안성맞춤**이라는 말로 안성 지역에 품질 좋은 유기를 만드는 사람이 있었다는 것을 알 수 있다.

백성들은 탈춤으로 불만을 표현했어.

탈춤

뜻 탈을 쓰고 춤을 추면서 하는 놀이 연극

예 **탈춤**에는 가난한 백성이 못된 양반을 혼내거나 비웃는 내용이 많이 나온다.

조상들의 생활 모습을 알 수 있는 문화유산인
탈춤, 첨성대, 향교 등의 용어는 꼭 기억해!

2주

첨성대

瞻 星 臺
볼 첨 별 성 대 대

뜻 신라 시대에 만든 하늘의 별을 관찰하고
연구하던 시설

예 **첨성대**를 보면 옛날에도 별을 관찰하고 기록했다는
것을 알 수 있다.

첨성대는 당시
사람들이 농사짓는 데
도움이 되었어.

향교

鄕 校
시골 향 학교 교

뜻 조선 시대에 지방의 교육을 담당했던 교육
기관

예 **향교**로 우리 조상들이 교육을 중요하게 생각했음을
알 수 있다.

답사

踏 査
밟을 답 조사할 사

뜻 조사할 대상이 있는 현장에 직접 가서 조사
하는 것

예 **답사**를 하면 책에서 얻는 지식과는 다른 생생한
지식을 얻을 수 있다.

1일 고장의 옛이야기

 피맛골의 이름은 어떻게 생겨났을까?

용어 체크

피맛골

조선 시대에 말 탄 양반을 피해 백성들이 편하게 다니려고 만든 길

예 민주는 가족과 서울특별시 종로구에 있는 [　❶　]에 갔다.

양반

조선 시대에 지배층을 이루던 신분

예 조선 시대에 [　❷　]은 관리가 되어 나라를 다스렸다.

정답 ❶ 피맛골 ❷ 양반

 탄천이라는 이름의 유래를 알아볼까?

용어 체크

탄천

경기도 용인시에서 시작해 서울특별시 송파구와 강남구를 거쳐 한강으로 흘러드는 하천

예 '삼천갑자 동방삭 이야기'에서 **❶**[   ]이라는 이름의 유래를 알 수 있다.

지명

마을이나 지방, 산천, 지역 따위의 이름

예 전해 내려오는 옛이야기나 **❷**[   ]으로 고장의 유래를 알 수 있다.

1 고장의 옛이야기가 중요한 까닭은 무엇일까?

안성맞춤은 어떤 물건이 맞춘 것처럼 딱 들어맞는다는 뜻이야.

고사성어 안성맞춤

옛날 안성에는 유기를 만드는 사람이 많았는데 솜씨가 뛰어나 품질이나 모양이 사람들을 만족시켰음.

서빙고동 이야기

서빙고는 서쪽의 얼음 창고라는 뜻으로, 옛날에는 겨울에 강이 얼면 얼음을 잘라 창고에 저장했다가 여름에 사용했음.

포은 정몽주 이야기

후손들이 개경에 있던 포은 정몽주의 묘를 고향인 영천으로 옮기다가 명정이 떨어진 용인에 묘를 만듦.

용인시에서는 포은 대로, 포은 아트홀처럼 포은이라는 이름을 많이 써.

용인시에서는 포은이라는 이름을 넣어서 정몽주의 업적과 함께 고장을 널리 알리고 있음.

포은대로 1404
Poeun-daero 486

오늘날 고장의 유래나 ❶(특징 / 인구)을/를 알 수 있기 때문입니다.

2 지명에서 알 수 있는 고장의 특징은 무엇일까?

자연환경을 알 수 있는 지명

생활 모습을 알 수 있는 지명

두물머리

북한강과 남한강의 두 물줄기가 만나는 곳

말죽거리

서울을 오가는 사람들이 말에게 죽을 끓여 먹인 곳

얼음골

더운 여름 바위틈에 얼음이 생기는 곳

기와말

기와를 굽던 큰 가마터가 있었던 곳

두물머리는 고장의 ❷(자연환경 / 인문 환경)을 알 수 있는 지명이고, 말죽거리는 고장의 생활 모습을 알 수 있는 지명입니다.

정답 ❶ 특징 ❷ 자연환경

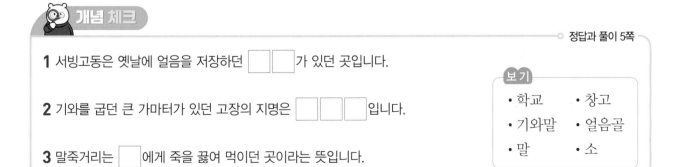

개념 체크

○ 정답과 풀이 5쪽

1 서빙고동은 옛날에 얼음을 저장하던 ☐☐가 있던 곳입니다.

2 기와를 굽던 큰 가마터가 있던 고장의 지명은 ☐☐☐입니다.

3 말죽거리는 ☐에게 죽을 끓여 먹이던 곳이라는 뜻입니다.

보 기
• 학교   • 창고
• 기와말 • 얼음골
• 말   • 소

1일 개념 확인하기

1 오른쪽 고사성어에 나타난 안성 고장 사람들의 생활 모습으로 알맞은 것은 무엇입니까? (   )

① 숯을 만들었다.

② 사과를 많이 재배했다.

③ 기와를 굽는 일을 하는 사람들이 많았다.

④ 품질 좋은 유기를 만드는 사람들이 많았다.

⑤ 겨울철에 강이 얼면 얼음을 잘라 창고에 저장했다.

안성맞춤

어떤 물건이 맞춘 것처럼 딱 들어맞는다는 뜻

2 '서빙고동'이란 이름의 유래로 알 수 있는 사실은 무엇입니까? (   )

① 고장에 큰 강이 흐른다.

② 고장에 오래된 탑이 있다.

③ 고장에 밤나무가 많이 있다.

④ 고장에 한 쌍의 장승이 있다.

⑤ 고장에 얼음을 저장하던 창고가 있었다.

3 용인시에서 '포은'이라는 이름을 많이 쓰는 까닭과 관련된 인물은 누구입니까? (   )

① 이순신　　　　② 김유신　　　　③ 정몽주

④ 장보고　　　　⑤ 세종 대왕

4 다음에서 설명하는 지명을 보기에서 찾아 쓰시오.

더운 여름 바위틈에 얼음이 생긴다고 해서 붙은 이름입니다.

보기

• 기와말　　• 얼음골　　• 고탑 마을　　• 장승배기

(　　　　　　　)

5 '두물머리'라는 지명을 통해 알 수 있는 고장의 특징은 무엇입니까? (   )

① 높은 봉우리 두 개가 있다.

② 두 물줄기가 만나는 곳이다.

③ 세 개의 바위가 형제처럼 있다.

④ 사람들이 만나는 교통의 요충지이다.

⑤ 심청전과 관련된 이야기가 전해 내려온다.

2주

6 '말에게 죽을 끓여 먹인 곳'이라는 뜻을 가진 지명의 기호를 쓰시오.

⊙  ⓒ  ⓒ

(   )

똑똑한 하루 퀴즈

7 고장의 자연환경을 알 수 있는 지명을 고른 어린이를 모두 쓰세요.

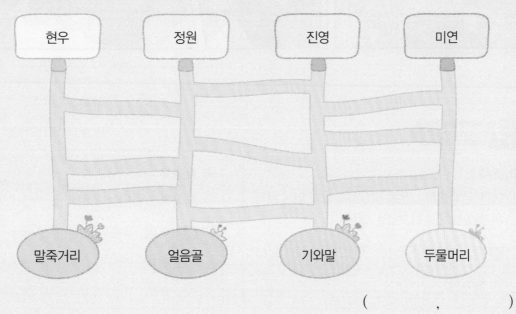

(,   )

옛이야기 조사는 조사 계획을 세우는 것부터!

용어 체크

🔍 조사

어떤 일에 대한 내용을 정확하게 알기 위해 자세히 찾아보거나 살펴보는 행동

예 고장의 옛이야기를 ❶ [   ]하는 계획을 세웠다.

🔍 보고서

보고하는 글이나 문서

예 조사로 알게 된 내용을 정리해 ❷ [   ]를 만들었다.

정답 ❶ 조사 ❷ 보고서

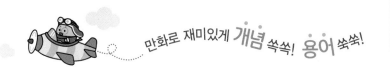

 ## 고장의 옛이야기로 역할놀이를 해 보자!

2주

🐼 용어 체크

📍 구연동화

주로 어린이를 위하여 전래동화나 창작동화를 입으로 말을 해서 들려주는 일

예 선생님께서 들려주시는 [❶] 처럼 고장의 옛이야기를 재미있게 구성했다.

📍 역할놀이

학생들이 가상의 문제 상황에서 상황 속 인물의 역할을 대신 수행해 보는 것

예 고장의 옛이야기를 [❷] 로 소개했다.

정답 ❶ 구연동화 ❷ 역할놀이

1 고장의 옛이야기 조사 계획을 세워 볼까?

고장의 옛이야기 조사 계획서

조사 주제	우리 고장 지명의 유래
조사 목적	지명의 유래로 우리 고장의 모습 알아보기
조사 기간	20△△년 △△월 △△일~△△월 △△일
조사 장소	• 우리 고장의 여러 장소 • 우리 고장의 문화원, 시·군·구청 누리집
조사 내용	• 우리 고장에는 어떤 지명이 있을까? • 우리 고장에 전해 내려오는 지명에는 어떤 뜻이 담겨 있을까?
조사 방법	사진 찍기, 동영상 찍기, 지도와 누리집 검색, 옛이야기 관련 장소에 직접 방문하기, 어른께 여쭤보기 등
준비물	지도, 수첩, 필기도구, 녹음기, 사진기 등
주의할 점	질문할 내용을 미리 정해 둔다.

조사 주제와 목적에 맞게 조사 장소, 내용, 방법을 정해야 해.

▲ 고장 누리집 검색   ▲ 고장 문화원 방문

☑ 조사 ❶(주제 / 결과), 조사 내용과 방법, 준비물과 주의할 점을 바탕으로 조사 계획서를 작성합니다.

2 고장의 옛이야기를 조사해 볼까? 예 서울특별시 강서구

지명을 설명해 주는 안내판

염창터 표지석 : 소금 창고였다는 이야기가 전해 내려와서 염창동이라고 함.

고장과 관련된 인물

구암 공원의 허준 동상 : 허준이 태어난 곳이어서 허준의 호인 '구암'을 사용함.

옛날에 만들어진 건물

양천 향교 : 햇볕이 잘 들고 냇가에 물이 맑아서 양천이라는 지명이 남아 있음.

☑ 옛이야기 조사로 고장의 지명이 생겨난 까닭, 고장의 자연환경, 고장 사람들의 생활 모습 등을 알 수 있습니다.

3 고장의 옛이야기 조사 결과를 정리하고 소개해 볼까?

옛이야기 조사 결과 보고서

조사 기간	
조사한 사람	
조사 목적	
조사 장소	
조사 방법	
조사 내용	
조사 결과	
느낀 점	
더 알고 싶은 점	

> 알게 된 점, 느낀 점을 잘 정리하는 게 중요해.

조사 결과	우리 고장에는 장소에 대한 옛이야기와 관련된 지명이 많다.
느낀 점	우리 고장의 지명에 옛날 사람들의 생활 모습이 담겨 있어서 흥미로웠다.
더 알고 싶은 점	현재 우리 고장의 지명이 옛날에도 그대로였을까?

옛이야기 소개 방법

> '자료 찾아 붙이기'의 방법으로도 소개할 수 있어.

▲ 구연동화   ▲ 역할놀이   ▲ 안내 책자

☑ 조사 결과, 느낀 점, 더 알고 싶은 점 등을 넣어 조사 ❷(계획서 / 결과 보고서)를 만듭니다.

정답 ❶ 주제 ❷ 결과 보고서

개념 체크

○ 정답과 풀이 5쪽

1 옛이야기를 조사하려면 먼저 조사 [ ][ ]를 정합니다.

2 옛이야기를 조사할 때 필요한 준비물에는 지도, [ ][ ][ ] 등이 있습니다.

3 고장의 옛이야기를 [ ][ ][ ][ ]로 소개할 수 있습니다.

보 기
• 주제   • 장소
• 사진기   • 색종이
• 역할놀이 • 세계 지도

1 조사 계획서를 세울 때 생각해야 할 내용이 <u>아닌</u> 것은 어느 것입니까? (   )

① 주제는 무엇으로 정할까?

② 어떤 방법으로 조사할까?

③ 어떤 준비물이 필요할까?

④ 조사 후 느낀 점은 무엇일까?

⑤ 조사할 때 주의할 점은 무엇일까?

2 다음 내용이 들어갈 옛이야기 조사 계획서의 항목으로 알맞은 것은 어느 것입니까? (   )

> 사진 찍기, 동영상 찍기, 지도와 누리집 검색하기, 옛이야기 관련 장소에 직접 방문하기, 어른께 여쭤보기 등

① 조사 기간   ② 조사 목적   ③ 조사 방법

④ 조사 주제   ⑤ 조사한 사람

3 다음 중 예전에 고장에 소금 창고가 있었다는 것을 알게 해 주는 것을 찾아 기호를 쓰시오.

㉠ ▲ 염창터 표지석

㉡ ▲ 구암 공원의 허준 동상

㉢ ▲ 양천 향교

(   )

4 조사 계획서와 비교하여 조사 결과 보고서에만 들어갈 내용은 어느 것입니까? (   )

① 조사 기간   ② 조사 장소   ③ 조사한 사람

④ 조사 주제   ⑤ 더 알고 싶은 점

5 오른쪽 그림은 고장의 옛이야기를 소개하는 방법 중 무엇입니까? (   )

① 역할놀이하기

② 구연동화하기

③ 동영상 만들기

④ 안내 책자 만들기

⑤ 자료 찾아 붙이기

똑똑한 하루 퀴즈

6 다음 좌표를 보고, □ 안에 들어갈 알맞은 말을 글자표에서 찾아 쓰세요.

	㉠	㉡	㉢	㉣	㉤
1	기	학	관	박	민
2	문	서	방	교	경
3	미	상	관	소	용
4	물	청	찰	차	화
5	도	역	원	실	구

좌표 (㉠, 1)은 '기'를 나타내는 거야.

고장의 옛이야기를 조사할 때 고장의 (㉠, 2) (㉤, 4) (㉢, 5) 누리집을 이용할 수 있습니다.

(   )

3일 고장의 문화유산

🐻 첨성대로 알 수 있는 조상들의 생활 모습은 무엇일까?

? **불국사와 석굴암에 효심이 담겨 있다고?**

🐻 **용어 체크**

📍 **석굴암**

경상북도 경주시 토함산에 있는 우리나라의 대표적인 석굴 사원

예 경주에 있는 ❶ [   ]은 화강암을 쌓아 올려 동굴처럼 만든 신라 시대의 절이다.

📍 **불국사**

경상북도 경주시 토함산 기슭에 있는 절

예 경주 ❷ [   ]는 신라의 불교문화를 알 수 있는 중요한 문화유산이다.

정답 ❶ 석굴암 ❷ 불국사

3일 개념 익히기

 개념 동영상

1 문화유산은 무엇일까?

유형 문화유산

건축물, 과학 발명품처럼 형태가 있는 문화유산

무형 문화유산

예술 활동, 기술과 같이 형태가 없는 문화유산

경주 동궁과 월지

신라의 왕자가 머물렀던 곳으로, 나라에 기쁜 일이 있을 때 잔치를 베풀던 곳

가야금 병창

가야금을 연주하며 민요나 판소리의 한 부분을 부르는 전통 예술

 범종은 절에 매달아 놓고 사람들이 모이게 하거나 시간을 알리려고 치는 종이야.

성덕 대왕 신종

신라에서 만든 범종으로, 우리나라에 남아 있는 가장 큰 범종

전통장

한지, 나무, 가죽 등의 재료로 화살을 담는 긴 통을 만드는 기술이 있는 사람

☑ 건축물, 예술 활동 등 조상 대대로 전해 내려온 문화 중에서 다음 세대에 물려줄 가치가 ❶(있는 / 없는) 것입니다.

❷ 문화유산으로 알 수 있는 것은 무엇일까?

탈춤은 탈을 쓰고 노래와 이야기를 하는 놀이 연극이야.

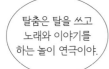

탈춤

백성들이 가슴 속에 맺힌 불만이나 한을 시원하게 표현했음.

향교

조상들은 교육을 중요하게 생각했음.

누비

두 겹의 천 사이에 솜을 넣어 튼튼하고 따뜻한 옷과 이불을 만듦.

첨성대

하늘의 별을 관찰하고 연구하던 시설로, 별을 관찰하고 기록했음.

하늘을 보고 기후를 알게 되어 농사짓는 데 도움이 되었지.

✓ 우리 ❷(조상 / 후손)들의 생활 모습, 슬기와 멋을 알 수 있고, 지혜를 배울 수 있습니다.

정답 ❶ 있는 ❷ 조상

개념 체크

○ 정답과 풀이 6쪽

1 성덕 대왕 신종은 ☐☐에서 만든 범종입니다.

2 가야금 병창은 ☐☐ 문화유산입니다.

3 백성들은 ☐☐(으)로 불만이나 한을 시원하게 표현했습니다.

보기
- 백제 · 신라
- 무형 · 유형
- 탈춤 · 누비

3일 개념 확인하기

○ 정답과 풀이 6쪽

1 문화유산에 대한 설명으로 알맞지 <u>않은</u> 것을 **보기**에서 찾아 기호를 쓰시오.

보기

ㄱ 우리 조상 대대로 전해 내려오는 문화입니다.

ㄴ 형태가 있는 것과 형태가 없는 것이 있습니다.

ㄷ 다음 세대에 물려줄 만한 가치가 있는 것입니다.

ㄹ 예술 활동이나 기술은 문화유산이 될 수 없습니다.

(   )

2 신라의 왕자가 머물렀던 곳으로, 나라에 기쁜 일이 있을 때 잔치를 베풀던 곳은 어디입니까? (   )

① 불국사　　　　　　② 석굴암　　　　　　③ 가야금 병창

④ 성덕 대왕 신종　　⑤ 경주 동궁과 월지

3 다음 중 무형 문화유산으로 알맞은 것에 ○표를 하시오.

(1)
▲ 성덕 대왕 신종
(   )

(2)
▲ 전통장
(   )

(3)
▲ 경복궁
(   )

4 다음 어린이들이 설명하고 있는 문화유산은 무엇인지 쓰시오.

초롱 : 무형 문화유산으로 후손에게 물려줄 만한 가치가 있어.

지후 : 가야금을 연주하며 민요나 판소리의 한 부분을 부르는 전통 예술이야.

(   )

5 오른쪽과 같이 두 겹의 천 사이에 솜을 넣어 꿰매는 손바느질을 무엇이라고 하는지 쓰시오.

(   )

집중 **연습 문제** **첨성대**

[6~7] 다음 문화유산을 보고, 물음에 답하시오.

6 위 문화유산에 대한 설명으로 알맞은 것은 무엇입니까? (   )

① 지방의 교육을 담당했던 교육 기관이다.

② 우리나라에 남아 있는 범종 중 가장 크다.

③ 하늘의 별을 관찰하고 연구하던 시설이다.

④ 화살을 담는 긴 통을 만드는 기술이 있는 사람이다.

⑤ 탈을 쓰고 춤추며 노래와 이야기를 하는 놀이 연극이다.

제시된 문화유산의 이름을 써 볼까?

○○○

7 위 문화유산이 당시 사람들에게 어떤 이로움을 주었는지 □ 안에 들어갈 알맞은 말을 쓰시오.

하늘을 보고 기후를 알게 되어 [   ] 짓는 데 도움이 되었습니다.

(   )

문화유산을 통해 조상들의 생활 모습과 지혜를 알 수 있어.

4일 고장의 문화유산 조사하기

🐰 문화유산을 조사할 수 있는 여러 가지 방법!

🐻 용어 체크

📍 **답사**

현장에 가서 직접 보고 조사하는 것

예 관찰하기, 설명 듣기, 사진 찍기, 그림 그리기

등의 ❶ [   ] 방법이 있다.

📍 **면담**

서로 만나서 얼굴을 보고 이야기하는 것

예 문화 관광 해설사와의 ❷ [   ] 을 통해

설명을 들으면 이해하기가 쉽다.

정답 ❶ 답사 ❷ 면담

답사 전 사전 조사를 하는 이유는?

🔍 안내

어떤 내용을 소개하여 알려 줌.

예 관광객에게 우리나라의 역사를 ❶ [   ]
했다.

🔍 사전 답사

현장에 가서 직접 보고 조사하는 일을 하기 전에,
미리 상황을 검토하러 현장에 다녀오는 일

예 조사단은 ❷ [   ]를 가서 답사 장

소와 그 주변을 꼼꼼히 살폈다.

정답 ❶ 안내 ❷ 사전 답사

1 고장의 문화유산을 조사하는 방법을 알아볼까?

> 문화 관광 해설사의 설명을 들으면 훨씬 이해하기 쉬울 거야.

누리집 방문

문화재청, 시·군·구청 누리집 방문하기

면담

고장의 문화원 등을 방문해 문화 관광 해설사와 면담하기

답사

조사할 문화유산이 있는 현장에 직접 가서 조사하기

고장 안내도 활용

동궁과 월지

경주 안내도

석굴암

김유신 묘

대릉원

첨성대

불국사

> 안내도를 보면 문화유산의 위치를 한눈에 살펴볼 수 있어.

✓ 고장 안내도 활용하기, **①**(문화재청 / 기상청) 누리집 방문하기, 답사하기, 면담하기 등이 있습니다.

2 답사를 통해 문화유산을 조사하고 정리해 볼까?

① 답사 목적 정하기

② 답사 장소, 날짜 정하기

어떻게 생겼는지 알아보자!

③ 조사할 내용 정하기

답사 방법: 관찰하기, 설명 듣기, 면담하기, 사진 찍기, 그림 그리기

④ 답사 방법과 준비물 정하기

답사 방법
- 관찰하기   · 설명 듣기
- 면담하기   · 사진 찍기
- 그림 그리기

⑤ 답사하기

주의할 점
- 중요한 내용 기록하기
- 문화유산 훼손하지 않기
- 다치지 않도록 조심하기

⑥ 답사 결과 정리하기

보고서 내용
- 새롭게 알게 된 점
- 더 알고 싶은 점
- 느낀 점

✔ 계획을 세워 **②**(사진 찍기 / 역할놀이) 등의 방법으로 답사를 한 후 결과를 정리해 보고서를 작성합니다.

정답 **①** 문화재청 **②** 사진 찍기

개념 체크

○ 정답과 풀이 6쪽

1 문화유산이 있는 곳에 직접 가서 조사하는 방법은 ☐☐입니다.

2 답사를 할 때 가장 먼저 답사 ☐☐을 정합니다.

3 조사 ☐☐☐ 에는 답사 후 더 알고 싶은 점을 씁니다.

보기
- 답사   · 검색
- 목적   · 방법
- 보고서   · 계획서

○ 정답과 풀이 6쪽

1 오른쪽은 고장의 문화유산을 조사하는 방법 중 무엇입니까? (   )

① 박물관 방문하기

② 문화유산 답사하기

③ 고장 어른께 여쭤보기

④ 문화재청 누리집 방문하기

⑤ 문화 관광 해설사와 면담하기

2 면담을 통해 문화유산을 조사할 때 좋은 점을 바르게 말한 어린이를 쓰시오.

> 효담 : 직접 찾아가지 않아도 돼서 시간을 절약할 수 있어.
>
> 민정 : 설명을 들으면 문화유산에 대해 쉽게 이해할 수 있어.
>
> 연후 : 고장에 있는 문화유산의 위치를 한눈에 살펴볼 수 있어.

(   )

3 다음 안내도를 보고 알 수 있는 경주의 문화유산이 <u>아닌</u> 것은 어느 것입니까? (   )

① 불국사　　　　② 경복궁　　　　③ 첨성대

④ 김유신 묘　　　⑤ 동궁과 월지

4 고장의 문화유산을 답사할 때 가장 먼저 해야 할 일은 어느 것입니까? (   )

① 답사하기

② 답사 목적 정하기

③ 답사 결과 정리하기

④ 답사 방법과 준비물 정하기

⑤ 답사할 장소와 날짜 정하기

5 답사할 때 주의할 점으로 알맞은 것을 보기 에서 두 가지 찾아 기호를 쓰시오.

> **보기**
> ㉠ 다치지 않도록 조심합니다.
> ㉡ 문화유산을 꼼꼼히 만지며 살펴봅니다.
> ㉢ 설명을 들을 때에는 중요한 내용을 적습니다.

(,   )

 똑똑한 **하루 퀴즈**

6 '답사 방법'이 주제인 퍼즐을 완성하려고 할 때 빈칸에 들어갈 알맞은 퍼즐 조각에 ○표를 하세요.

관찰하기   그림 그리기

설명 듣기   **?**

면담하기

일기 쓰기

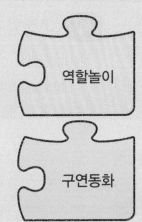

역할놀이

구연동화

1 고장의 옛이야기로 알 수 있는 것

'포은 정몽주' 이야기	용인에서 포은이라는 이름이 많이 쓰이는 까닭을 알 수 있음.
'서빙고동' 이야기	• 고장에 얼음을 저장하는 창고가 있었음. • 옛날 사람들이 여름에 얼음을 구했던 방법을 알 수 있음.
고사성어 '안성맞춤'	안성 지역에 품질 좋은 유기를 만드는 사람이 있었음.

2 지명으로 알 수 있는 고장의 특징

지명은 땅에 붙은 이름이야.

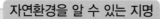

▲ 두물머리　　▲ 얼음골

▲ 기와말　　▲ 말죽거리

3 고장의 옛이야기 조사 방법과 소개 방법

조사 방법	고장의 문화원과 시·군·구청 누리집 검색하기, 옛이야기 관련 장소에 직접 방문하기, 고장의 어른께 여쭤보기 등
소개 방법	자료 찾아 붙이기, 역할놀이, 구연동화, 안내 책자 등

4 고장의 문화유산

① 문화유산 : 우리 조상 대대로 전해 내려온 문화 중에서 다음 세대에 물려줄 만한 가치가 있는 것

문화유산에는 조상들의 지혜가 담겨 있어.

② 문화유산을 통해 알 수 있는 것

첨성대	옛날에도 별을 관찰하고 기록했음.
누비	튼튼하고 따뜻한 옷과 이불을 만들어 입거나 덮었음.
탈춤	백성들이 가슴 속에 맺힌 불만이나 한을 시원하게 표현했음.

5 문화유산 조사 방법

문화재청 누리집 방문

답사

면담

6 문화유산 답사하기

답사를 하면
기억에 오래 남아.

답사 과정	답사 목적 정하기 ➡ 답사할 장소와 날짜 정하기 ➡ 답사 장소에서 조사할 내용 정하기 ➡ 답사 방법과 준비물 정하기 ➡ 답사하기 ➡ 답사 결과 정리해 보고서 만들기
답사 방법	관찰하기, 설명 듣기, 면담하기, 사진 찍기, 그림 그리기 등
답사할 때 주의할 점	• 문화유산을 함부로 만지지 않음. • 설명을 들을 때 중요한 내용을 기록함.

하루 뉴스

20△△년 △△월 △△일

우리나라에서
가장 큰 민속 마을은 어디일까?

경주 양동 민속 마을은 조선 시대의 전통문화와 자연 환경을 그대로 간직하고 있는 우리나라 최대 크기의 민속 마을입니다. 이 마을에는 국보, 보물, 민속자료 등 문화 유산이 많아서 마을 전체가 문화재로 지정되었습니다. 다른 나라의 침입과 6·25 전쟁 등을 겪었지만 여전히 다양하고 특색 있는 전통집 160여 호가 잘 보존되어 있습니다.

지금도 마을 사람들은 전통 혼례식, 한복 입고 떡메치기, 다양한 전통 놀이 등을 하며 우리의 전통문화를 지켜 나가려고 노력하고 있습니다.

▲ 경주 양동 민속 마을의 모습

1일 고장의 옛이야기

1 '서빙고동'이라는 지명을 통해 알 수 있는 옛날 사람들의 생활 모습은 어느 것입니까?

( )

① 묘의 위치를 중요하게 생각했다.

② 여름철에는 얼음을 사용할 수 없었다.

③ 말을 탄 양반을 피해 좁은 길로 다녔다.

④ 부모님께 효도하는 것을 중요하게 생각했다.

⑤ 겨울철에 강이 얼면 강의 얼음을 잘라 창고에 보관했다.

2 고장의 옛이야기가 중요한 까닭으로 알맞지 <u>않은</u> 것을 보기 에서 찾아 기호를 쓰시오.

> 보기
> ㉠ 오늘날 우리 고장의 유래나 특징을 알 수 있기 때문에
> ㉡ 우리 고장의 미래 모습이 구체적으로 담겨 있기 때문에
> ㉢ 당시의 자연환경이나 조상들의 생활 모습을 알려 주기 때문에

( )

3 오른쪽 지명을 통해 알 수 있는 고장의 특징은 무엇입니까? ( )

① 교통이 편리한 곳이다.

② 두 물줄기가 만나는 곳이다.

③ 기와를 굽던 가마터가 있었다.

④ 말에게 죽을 끓여 먹이던 곳이다.

⑤ 유기를 잘 만드는 사람이 있었다.

2일 고장의 옛이야기 조사하기

4 고장의 옛이야기를 조사하는 방법으로 알맞지 <u>않은</u> 것은 어느 것입니까? ( )

① 고장의 소방서를 방문한다.

② 지역을 잘 알고 있는 분께 여쭤본다.

③ 고장과 관련된 인물, 축제를 찾아본다.

④ 고장의 시청, 군청, 구청 누리집을 검색한다.

⑤ 옛이야기와 관련 있는 장소에 직접 방문한다.

5 다음 내용이 들어갈 옛이야기 조사 결과 보고서의 항목은 어느 것입니까? ( )

> 지명에 옛날 사람들의 생활 모습이 담겨 있어서 흥미로웠습니다.

① 느낀 점   ② 조사 목적   ③ 조사 방법

④ 조사 기간   ⑤ 조사한 사람

6 조사한 고장의 옛이야기를 소개하는 방법으로 알맞지 <u>않은</u> 것은 무엇입니까? ( )

①

▲ 역할놀이

②

▲ 안내 책자 만들기

③

▲ 자료 찾아 붙이기

④

▲ 구연동화

⑤

▲ 문화원 방문

3일 고장의 문화유산

7 옛날에도 별을 관찰하고 기록했음을 알 수 있는 문화유산은 무엇입니까? (   )

① 탈춤   ② 누비

③ 향교   ④ 석굴암

⑤ 첨성대

서술형

8 다음 두 문화유산의 공통점은 무엇인지 쓰시오.

▲ 가야금 병창

▲ 전통장

_____

_____

9 향교를 통해 알 수 있는 조상들의 생활 모습을 바르게 말한 어린이를 쓰시오.

> 현우 : 교육을 중요하게 생각했어.
> 미라 : 가슴 속에 맺힌 한을 시원하게 표현했어.
> 정원 : 따뜻한 옷과 이불을 만들어 입거나 덮었어.

(   )

10 오른쪽은 고장의 문화유산을 조사하는 방법 중 무엇입니까? (   )

① 사진 찍기

② 고장 안내도 활용하기

③ 고장 도서관 방문하기

④ 문화재청 누리집 방문하기

⑤ 문화 관광 해설사와 면담하기

11 다음 □ 안에 공통으로 들어갈 조사 방법은 무엇인지 쓰시오.

민찬 : 석굴암이 있는 곳에 직접 찾아가서 [   ] 하는 것이 어때?

지은 : [   ] 를 하면 생생한 지식을 얻을 수 있어.

성주 : 석굴암을 직접 본다면 기억에 오래 남고 흥미로울 거야.

(   )

12 다음 초성 퀴즈의 정답을 맞혀 보세요.

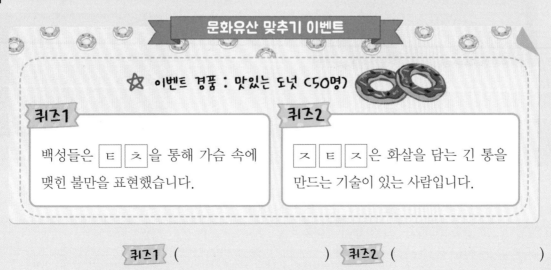

문화유산 맞추기 이벤트

☆ 이벤트 경품 : 맛있는 도넛 (50명)

퀴즈1

백성들은 ㅌ ㅊ 을 통해 가슴 속에 맺힌 불만을 표현했습니다.

퀴즈2

ㅈ ㅌ ㅈ 은 화살을 담는 긴 통을 만드는 기술이 있는 사람입니다.

퀴즈1 (   )   퀴즈2 (   )

1 다음 그림과 관련 있는 지명은 어느 것입니까? (   )

① 탄천   ② 피맛골
③ 장승배기   ④ 말죽거리
⑤ 서빙고동

2 다음 지명을 통해 알 수 있는 고장의 특징은 무엇입니까? (   )

① 오래된 탑이 있다.
② 두 물줄기가 만나는 곳이다.
③ 더운 여름 바위틈에 얼음이 생기는 곳이다.
④ 옛날 기와를 굽던 큰 가마터가 있었던 곳이다.
⑤ 옛날에 서울을 오가는 사람들이 말에게 죽을 끓여 먹이던 곳이다.

3 북한강과 남한강의 두 물줄기가 만난다고 해서 붙은 지명은 무엇입니까? (   )

① 밤골   ② 장승골
③ 기와말   ④ 쌍둥이산
⑤ 두물머리

4 옛이야기 조사 계획서에 들어갈 내용으로 알맞지 <u>않은</u> 것은 어느 것입니까? (   )

① 조사 주제   ② 조사 목적
③ 조사 방법   ④ 조사 결과
⑤ 주의할 점

5 다음은 염창터 표지석으로 알 수 있는 점입니다. ☐ 안에 들어갈 알맞은 말을 쓰시오.

예전에 이곳이 ☐ 창고였다는 이 야기가 전해 내려와서 '염창동'이라고 불립니다.

(   )

6 다음 중 무형 문화유산은 어느 것입니까?
( )

① ▲ 석굴암
② ▲ 가야금 병창

③ ▲ 경주 동궁과 월지
④ ▲ 첨성대

7 다음 문화유산으로 알 수 있는 조상들의 생활 모습은 무엇입니까? ( )

▲ 누비

① 하늘의 별을 관찰했다.

② 효를 중요하게 생각했다.

③ 교육을 중요하게 생각했다.

④ 가슴 속에 맺힌 한을 시원하게 표현했다.

⑤ 따뜻한 옷과 이불을 만들어 입거나 덮었다.

8 탈을 쓰고 노래와 이야기를 하는 놀이 연극은 무엇입니까? ( )

① 탈춤　　　　② 판소리

③ 전통장　　　④ 고사성어

⑤ 가야금 병창

9 다음 문화유산은 무엇인지 쓰시오.

( )

10 다음 중 답사를 하는 모습을 찾아 기호를 쓰시오.

ㄱ

ㄴ

( )

2주특강

생활 속 사회

동전과 지폐에 그려진 문화유산은 무엇인지 알 수 있습니다.

동전과 지폐에 그려진 문화유산

1 우리나라의 동전과 지폐에서 볼 수 있는 문화유산의 모습과 설명을 선으로 알맞게 연결해 보세요.

•   •   •

•   •   •

혼천의

경주 불국사 다보탑

강릉 오죽헌 몽룡실

•   •   •

•   •   •

조선 시대의
학자인 이이가
태어난 방

불국사에 세워진
우리나라의
아름다운 탑

천체의 움직임과
그 위치를 관측하던
천문 관측 기구

2주 특강

사고 쑥쑥

○× 문제를 풀어 보며, 지명이 고장의 모습과 관계가 있음을 알 수 있습니다.

2 고장의 지명에 대한 ○× 문제를 풀며 미로를 탈출해 보세요.

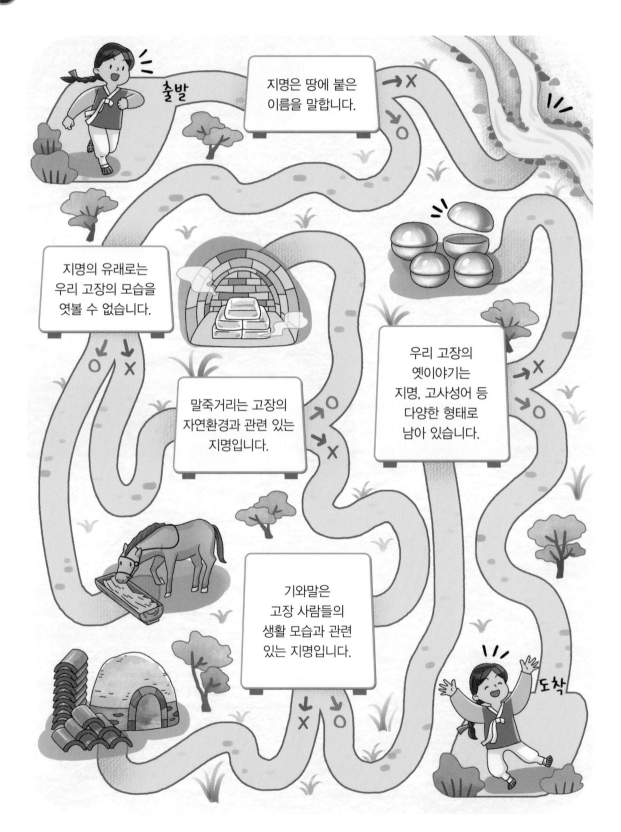

유형 문화유산과 무형 문화유산을 나누어 정리해 보며, 문화유산의 종류를 알 수 있습니다.

3 수리와 도마는 각각 유형 문화유산, 무형 문화유산을 조사하여 정리했어요. 수리와 도마가 정리해야 할 문화유산은 무엇인지 기호를 쓰세요.

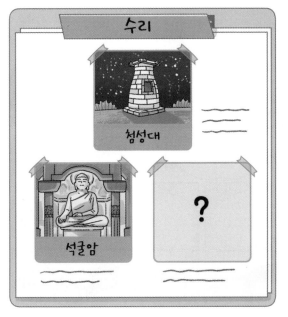

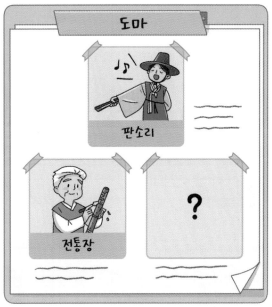

ㄱ
탈춤

ㄴ
경주 동궁과 월지

ㄷ
가야금 병창

ㄹ
성덕 대왕 신종

수리 : (,   )　　도마 : (,   )

논리 탄탄

암호문을 해독해 보며, 고장에서 자주 사용되는 이름의 유래를 알 수 있습니다.

2주 특강

4 수리와 도마는 경기도 용인시에 공연을 보러 갔어요. 용인시에서 '포은'이라는 이름을 많이 쓰는 것과 관련된 인물은 누구인지 암호를 풀어 맞혀 보세요.

암호 해독표!

①	②	③	④	⑤	⑥	⑦	⑧	⑨	⑩	⑪	⑫	⑬	⑭
ㄱ	ㄴ	ㄷ	ㄹ	ㅁ	ㅂ	ㅅ	ㅇ	ㅈ	ㅊ	ㅋ	ㅌ	ㅍ	ㅎ

□	■	◇	◆	☆	★	○	●	♧	♣	♡	♥	♤	♠
ㅏ	ㅑ	ㅓ	ㅕ	ㅗ	ㅛ	ㅜ	ㅠ	ㅡ	ㅣ	ㅐ	ㅒ	ㅔ	ㅖ

정답

길을 알려 주며, 문화유산에 담긴 조상들의 생활 모습을 알 수 있습니다.

5 도마와 수리가 문화유산을 답사하려고 해요. 지도 에서 ㉠의 위치를 확인하고, 기호 를 이용해 수리와 도마에게 길을 알려 주세요.

교통수단

3주 이번 주에는 무엇을 공부할까? ❶

오늘날의 교통수단이 훨씬 빠르구나.

쾌속선

떳목

오늘날

전철

가마

옛날

교통 수단

미래

전기 자동차

소달구지

하늘을 나는 자동차

옛날에는 동물을 교통수단으로 사용했나봐!

오늘날에는 교통수단이 발달하면서 다양한 시설이 생기고, 우리의 생활도 많이 달라졌어.

이번 주에는 무엇을 공부할까? ❷

교통

交通

오고갈 교 통할 통

뜻 자동차, 배, 비행기 등의 수단으로 사람, 화물 등을 이곳에서 저곳으로 실어 나르는 일

예 지하철의 개통으로 우리 마을의 **교통** 문제가 일부 해결되었다.

가마

뜻 안에 사람이 들어앉고 여러 사람이 함께 들었던 조그만 집 모양의 교통수단

예 **가마**는 옛날 사람들이 이동할 때 이용했던 교통수단 이다.

> 돛단배는 바람으로, 증기선은 수증기로 움직이는구나.

돛단배

뜻 선체 위에 세운 돛에 바람을 받게 하여 바람의 힘을 이용하여 나아가는 배

예 옛날 사람들은 **돛단배**를 이용해 바람의 힘으로 강을 건넜다.

증기선

蒸氣船

찔 증 기운 기 배 선

뜻 수증기를 이용하여 움직이는 배

예 **증기선**의 발달로 먼 나라도 배를 타고 갈 수 있게 되었다.

교통수단과 관련된 다양한 용어가 있어.
특히 가마, 돛단배 등의 용어는 꼭 기억해!

전철

電 鐵
전기 전 쇠 철

뜻 전기를 이용하여 레일 위를 달리는 전동차

예 출근 시간에 **전철**이 고장 나 출근길 시민들이 큰 불편을 겪었다.

주유소

注 油 所
부을 주 기름 유 곳 소

뜻 자동차 따위에 기름을 넣는 곳

예 자동차에 기름을 넣기 위해 **주유소**에 들렀다.

교통수단이 발달하면서
다양한 시설들이
생겼네!

터미널

뜻 항공, 열차, 버스 노선 등의 맨 끝 지점으로
승객들을 태우거나 내리게 하는 장소

예 **터미널**은 아침부터 바쁘게 오고가는 사람들로 북적
거렸다.

1_일 옛날의 교통수단

 사람과 물건들은 어떻게 다른 곳으로 이동하지?

용어 체크

교통수단

사람이 이동하거나 물건을 옮기는 데 사용하는 방법이나 도구

예 대도시의 중요한 [　❶　]으로 지하철이 차지하는 비중이 점점 높아진다.

▲ 지하철을 기다리는 사람들

정답 ❶ 교통수단

떼목을 타고 강을 건너 볼까?

 용어 체크

⊙ 떼목

통나무를 여러 개 이어 붙여서 만든 배

예 옛날에는 **❶**〔   〕을 이용해 사람이 이동하거나 물건을 옮겼다.

⊙ 전차

공중에 설치한 전선으로부터 전기의 힘을 공급받아 궤도 위를 달리는 차

예 19세기에 우리나라에 들어온 **❷**〔   〕는 1969년까지 도시의 중요한 교통수단이었다.

정답 ❶ 떼목 ❷ 전차

개념 익히기

 개념 동영상

1 옛날에는 무엇을 타고 다녔을까?

물에서 이용했던 교통수단

뗏목
사람이 이동하거나 물건을 옮김.

돛단배
바람의 힘으로 강을 건넘.

하늘에서 이용한 교통수단은 없었네.

땅에서 이용했던 교통수단

가마
한 사람이 타고 여러 사람이 함께 들고 감.

소달구지
무거운 짐을 싣고 나름.

옛날 교통수단의 특징
• 사람이나 동물, 자연의 힘을 이용함.
• 힘이 많이 들고 시간이 오래 걸렸음.
• 여러 사람이 함께 이용하기 어려웠음.
• 많은 물건을 한 번에 옮기기 어려웠음.

환경 오염은 걱정 없었겠어!

옛날에는 **❶(기계 / 자연)**의 힘을 이용한 말, 가마, 돛단배 등을 타고 다녔습니다.

2 기계의 힘을 이용한 초기의 교통수단에는 무엇이 있을까?

비행기
- 기계의 힘을 이용함.
- 하늘을 날아 먼 곳으로 빠르게 갈 수 있었음.

더 이상 사람이나 동물의 힘을 이용하지 않네.

증기선
- 수증기의 힘을 이용함.
- 먼 나라로 갈 수 있었음.

전차
- 전기의 힘을 이용함.
- 여러 명이 함께 탈 수 있었음.

많은 사람들이 더 쉽고 빠르게 멀리까지 갈 수 있었겠다!

☑ 과학 기술의 발달로 비행기, 증기선, ❷(가마 / 전차) 같은 새로운 교통수단이 생겨났습니다.

정답 ❶ 자연 ❷ 전차

🐼 개념 체크

○ 정답과 풀이 9쪽

1 옛날의 교통수단 중 돛단배는 [ ][ ]의 힘을 이용했습니다.

2 소달구지, 전차 등은 [ ]에서 이용했던 교통수단입니다.

3 증기선은 [ ][ ][ ]의 힘을 이용한 교통수단입니다.

보기
- 바람
- 증기
- 땅
- 물
- 바닷물
- 수증기

1 옛날에 이용하던 교통수단으로 알맞은 것은 어느 것입니까? (   )

① 트럭   ② 전철   ③ 버스
④ 기차   ⑤ 돛단배

2 옛날에 주로 물건을 옮기기 위해 물 위에서 사용했던 교통수단은 무엇인지 기호를 쓰시오.

ㄱ
▲ 말

ㄴ
▲ 뗏목

ㄷ
▲ 전차

(   )

3 옛날의 교통수단에 대한 설명으로 알맞지 <u>않은</u> 것은 어느 것입니까? (   )

① 환경을 오염시키지 않았다.
② 환경의 영향을 많이 받았다.
③ 이동하는 데 시간이 오래 걸렸다.
④ 여러 사람이 함께 이용하기 어려웠다.
⑤ 많은 물건들을 한 번에 옮길 수 있었다.

4 다음 ☐ 안에 들어갈 알맞은 교통수단을 쓰시오.

과학 기술이 발달하면서 수증기를 이용한 배인 ☐을 타고 먼 나라로 갈 수 있게 되었습니다.

(   )

5 다음은 어떤 교통수단을 이용하는 모습인지 각각 쓰시오.

(1)
(   )

(2)
(   )

(3)
(   )

3주

집중 **연습 문제**   **가마**

[6~7] 다음은 옛날의 교통수단입니다.

ㄱ    ㄴ

ㄱ과 ㄴ의 이름을 써 볼까?

• ㄱ ➡ ◯◯
• ㄴ ➡ ◯◯

6 안에 사람이 들어앉고 여러 사람이 함께 들었던 조그만 집 모양의 교통수단은 무엇인지 기호를 쓰시오.

(   )

사진 속 집 모양 안에는 사람이 있을까 물건이 있을까?

7 위 ㄴ에 대한 설명으로 알맞은 것은 어느 것입니까? (   )

① 전기의 힘을 이용했다.

② 사람이 이동할 때 이용했다.

③ 먼 거리를 빠르게 갈 수 있었다.

④ 하늘에서 이용한 교통수단이다.

⑤ 무거운 짐을 싣고 나를 때 이용했다.

2일 오늘날과 미래의 교통수단

 오늘날에는 빠른 것들을 타고 다녀!

용어 체크

쾌속선
속도가 매우 빠른 배
예 오늘날에는 ❶ [   ]을 이용해
보다 빠르게 섬으로 갈 수 있다.

비행기
공기의 작용에 의해 지상으로부터 높이 떠서 하늘을
나는 기계
예 부모님과 ❷ [   ]를 타고 해외여행을 다녀
왔다.

정답 ❶ 쾌속선 ❷ 비행기

자동차가 혼자서 운전을 한다고?

우리 마계도 인간 사회처럼 첨단 시설을 보급해야 해! 교통수단도 싹 바꾸자!

그래서 준비했지! 운전자가 없어도 스스로 움직이는 자율 주행 자동차!

인공 지능이 있어서 마치 사람이 운전하는 것처럼 도로 상황을 파악해서 움직여.

바쁠 때는 얘한테 운전을 맡기고 그 시간에 서류를 검토할 수 있지.

3
주

자율 주행이 제대로 되려면 주변 시설물에도 첨단 장비가 들어가야 하는데요.

어? 자동차만으로는 안 돼?

인공위성도 필요하고 교통 시스템도 모두 바꿔야 해요. 그런데 마계에는 아직 그런 게 없잖아요?

그럼 다른 교통수단을 마련해 볼까?

태양광으로 움직이는 친환경 자동차를 마계에 보급하면 어떨까요?

마계 사람은 태양빛에 약하잖아. 누가 그걸 이용하겠냐고!

 용어 체크

⚲ 인공 지능

인간의 지능을 갖춘 컴퓨터 시스템

예 최근에는 [①＿＿＿＿＿＿] 기술을 갖춘 로봇 연구가 활발히 진행되고 있다.

▲ 인공 지능을 갖춘 로봇 청소기

정답 ❶ 인공 지능

2일 개념 익히기

개념 동영상

1 오늘날 이용하는 교통수단에는 무엇이 있을까?

하늘에서 이용하는 교통수단

비행기

비행기를 타고 해외로 출장을 감.

물에서 이용하는 교통수단

배

배를 타고 섬으로 여행을 감.

오늘날의 교통수단은 종류가 훨씬 다양해졌어.

땅에서 이용하는 교통수단

트럭

트럭으로 이삿짐을 나름.

버스

버스로 현장 체험 학습을 감.

전철

전철을 타고 회사에 출근함.

☑ 오늘날에는 비행기, 전철, ❶(버스 / 뗏목) 등 옛날보다 다양한 교통수단을 이용합니다.

2 미래에는 어떤 교통수단이 나타날까?

하늘을 나는 자동차

- 땅에서는 자동차처럼 도로를 달리고 하늘에서는 비행기처럼 날 수 있음.
- 길이 막히는 곳에서도 빠르게 갈 수 있음.

자율 주행 자동차로 몸이 불편한 사람도 편하게 이동할 수 있어.

자율 주행 자동차

- 인공 지능을 갖춘 자동차가 스스로 운전함.
- 운전 미숙이나 졸음운전으로 인한 사고를 막을 수 있음.

전기 자동차

- 화석 연료 대신 전기의 힘으로 움직임.
- 배기가스를 배출하지 않으며, 주유소에 갈 필요가 없음.

환경 오염 문제를 해결할 수 있겠다.

☑ 미래에는 자율 주행 자동차, **②**(전기 / 화석 연료) 자동차 등이 나타나 사람들을 더 편리하게 해 줄 것입니다.

정답 ❶ 버스 ❷ 전기

개념 체크

정답과 풀이 9쪽

1 해외여행을 갈 때는 주로 ☐☐☐를 탑니다.

2 오늘날의 교통수단은 종류가 훨씬 더 ☐☐합니다.

3 전기 자동차는 화석 연료 대신 ☐☐의 힘으로 움직입니다.

보기
- 승용차
- 비행기
- 다양
- 간단
- 바람
- 전기

○ 정답과 풀이 9쪽

1 오늘날 교통수단을 이용하는 모습으로 알맞지 <u>않은</u> 것은 어느 것입니까? (   )

① 자전거로 이삿짐을 나른다.

② 배를 타고 섬으로 여행을 간다.

③ 전철을 타고 회사에 출근을 한다.

④ 자동차를 타고 할머니 댁에 간다.

⑤ 비행기를 타고 해외로 출장을 간다.

2 버스에 대해 바르게 말하고 있는 어린이는 누구인지 쓰시오.

섬으로 여행을 갈 때 이용하지.

해외여행을 갈 때 주로 이용하는 교통수단이야.

친구들과 함께 현장 체험 학습을 갈 때 이용했어.

석훈   지은   효신

(   )

3 오른쪽 미래의 교통수단을 이용하여 해결할 수 있는 문제는 어느 것입니까? (   )

① 일손 부족   ② 교통 체증

③ 환경 오염   ④ 주택 부족

⑤ 주차 공간 부족

▲ 전기 자동차

4 오른쪽 미래의 교통수단에 대한 설명으로 가장 알맞은 것은 어느 것입니까? ( )

① 바람의 힘으로 움직인다.

② 하늘에서는 비행기처럼 날 수 있다.

③ 층간 소음으로 갈등이 생길 수 있다.

④ 졸음운전으로 인한 사고를 막을 수 있다.

⑤ 길이 막히는 곳에서도 빠르게 갈 수 있다.

▲ 자율 주행 자동차

집중 연습 문제 **트럭**

5 오늘날 사람들이 트럭을 이용하는 모습으로 가장 알맞은 것을 보기 에서 찾아 기호를 쓰시오.

보기

㉠ 해외로 출장을 갑니다.

㉡ 섬으로 여행을 갑니다.

㉢ 무거운 짐을 싣고 나릅니다.

( )

㉠~㉢은 오늘날 어떤 교통수단을 이용하는 모습일까?

· ㉠ ➡ [ ]

· ㉡ ➡ [ ]

· ㉢ ➡ [ ]

6 오늘날의 트럭과 비슷한 기능을 했던 옛날의 교통수단은 무엇인지 기호를 쓰시오.

▲ 말

▲ 소달구지

( )

어제 배웠던 옛날의 교통수단을 잘 기억해 봐!

3일 교통수단의 발달과 우리 생활

🐰 배를 타고 인간 사회로!

🐻 용어 체크

📍 선착장

배가 와서 닿는 곳

예 배가 [❶] 에 도착하자 사람들이
배에서 내리기 시작했다.

📍 부두

배를 대어 사람과 짐이 땅으로 오르내릴 수 있도록
만들어 놓은 곳

예 배는 [❷] 에 정박해 있다.

정답 ❶ 선착장 ❷ 부두

공항에서 생긴 일

관제탑
비행기들의 교통을 정리하는 곳
예 비행장의 ❶ [   ]에서는
항공기의 이착륙을 도와준다.

활주로
비행장에서 비행기가 뜨거나 내릴
때에 달리는 길
예 비행기가 비상 ❷ [   ]에
안전하게 착륙했다.

▲ 공항 활주로

1 교통수단과 관련된 시설물에는 어떤 것들이 있을까?

비행기
관제탑
공항

배
선착장
여객선 터미널

주차장
도로
자동차
큰 다리
주유소, 터널, 휴게소 등도 있어!

☑️ 비행기와 관련된 ❶(공항 / 선착장), 배와 관련된 여객선 터미널, 자동차와 관련된 도로 등이 있습니다.

2 교통수단의 발달로 우리 생활은 어떻게 달라졌을까?

서울에서 부산까지 가는 데 걸리는 시간

도보
약 30일

고속버스
4시간 30분

고속 열차
2시간 40분

비행기
1시간

증기 기관차
17시간

서울

부산

사람들이 먼 곳으로 빠르고 편리하게 갈 수 있게 되었음.

자동차의 발달로 버스, 택시를 운전하는 분들이 생겨났어.

무거운 짐을 한 번에 먼 곳까지 옮길 수 있게 되었음.

새로운 직업들이 생겨 사람들이 하는 일이 다양해짐.

☑ 교통수단의 발달로 더 ❷(많은 / 적은) 사람과 물건이 먼 곳으로 빠르게 이동할 수 있게 되었습니다.

정답 ❶ 공항 ❷ 많은

개념 체크

◦ 정답과 풀이 10쪽

1 관제탑은 [ ][ ][ ] 와 관련된 시설물입니다.

2 배와 관련된 시설물에는 [ ][ ][ ] 등이 있습니다.

3 교통수단의 발달로 새로운 [ ][ ] 들이 생겨났습니다.

보기
• 비행기   • 자전거
• 기차역   • 선착장
• 직업   • 언어

3
주

○ 정답과 풀이 10쪽

1 다음 시설들과 관련 있는 교통수단을 쓰시오.

▲ 여객선 터미널

▲ 선착장

(   )

2 교통수단과 관련된 시설물에서 볼 수 있는 모습으로 알맞은 것은 어느 것입니까?

(   )

① 도로에서 배가 다닌다.
② 주차장에서 전철을 주차한다.
③ 공항에서 사람들이 배를 탄다.
④ 주유소에서 자동차에 기름을 넣는다.
⑤ 관제탑에서 자동차의 교통을 정리한다.

3 다음 교통수단과 관련된 시설을 보기에서 두 가지 찾아 기호를 쓰시오.

보기
ㄱ 기차역
ㄴ 주차장
ㄷ 큰 다리
ㄹ 공항 철도

(,   )

4 다음 □ 안에 들어갈 교통수단으로 알맞은 것은 어느 것입니까? (   )

> 교통수단이 발달하면서 사람들이 하는 일도 다양해졌습니다. 특히 자동차의 발달로 □□□(이)나 택시를 운전하는 분들이 생겨났습니다.

① 가마   ② 전철   ③ 전차
④ 버스   ⑤ 쾌속선

5 교통수단의 발달로 달라진 사람들의 생활 모습으로 알맞지 <u>않은</u> 것은 어느 것입니까?
(   )

① 해외여행을 다녀올 수 있게 되었다.
② 외국의 물건들을 구하기 어려워졌다.
③ 사람들이 먼 곳으로 빠르게 갈 수 있게 되었다.
④ 무거운 짐을 한 번에 먼 곳까지 옮길 수 있게 되었다.
⑤ 예전에는 가기 어려웠던 곳을 편하게 갈 수 있게 되었다.

똑똑한 하루 퀴즈

6 사다리를 타고 내려가 ㉠과 ㉡에 들어갈, 해당 교통수단과 관련된 시설물을 한 가지씩만 쓰세요.

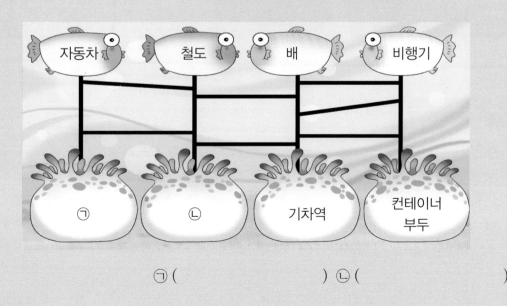

㉠ (   ) ㉡ (   )

4일 환경에 따른 교통수단

🐰 다양한 교통수단을 체험해 보자!

🐷 **용어 체크**

📍 **경운기**
농촌에서 흙덩이를 부수거나 논밭을 갈 때 이용하는 기계

예 농촌에서 ❶ [   ]는 농사용뿐 아니라 교통수단으로도 이용된다.

📍 **모노레일**
선로가 한 가닥인 철도

예 관광 사업을 위해 ❷ [   ]을 설치하기로 했다.

정답 ❶ 경운기 ❷ 모노레일

정답 ❶ 관광 ❷ 유람선

 관광할 때도 교통수단이 필요해.

 용어 체크

◉ 관광

다른 지방이나 다른 나라의 풍경, 풍습을 구경하는 일

예 부모님과 함께 제주도의 여러

❶ [   ] 명소를 다녀왔다.

◉ 유람선

구경하는 손님을 태우고 돌아다니는 배

예 나는 ❷ [   ] 을 타고

관광을 했다.

개념 동영상

1 우리 고장 사람들은 어떤 교통수단을 이용할까?

모노레일

가파른 길을 오르내리거나 농작물을 운반할 때 이용함.

지프 택시

길이 가파르고 겨울에 눈이 많이 오는 지역에서 이용함.

케이블카

산이나 높은 곳을 쉽고 빠르게 오르내릴 때 이용함.

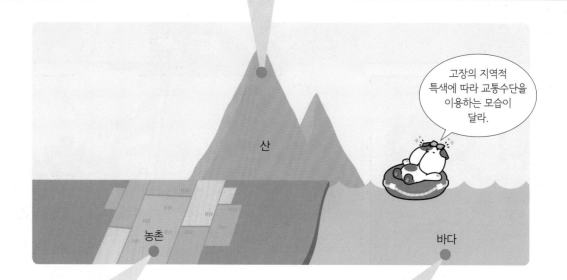

산

농촌

바다

고장의 지역적 특색에 따라 교통수단을 이용하는 모습이 달라.

경운기

무거운 농사 도구나 농산물을 운반할 때 이용함.

갯배

바다를 사이에 두고 떨어진 두 마을을 오갈 때 이용함.

카페리

사람과 자동차를 실어 섬이나 육지로 운반할 때 이용함.

✓ 사람들은 고장의 **❶**(인구 수 / 환경)에 따라 케이블카, 경운기, 갯배 등의 교통수단을 이용합니다.

2 관광을 위한 교통수단에는 무엇이 있을까?

레일 자전거

관광 유람선

관광 열차

☑ 사람들은 관광을 위해 **레일 자전거, 관광 유람선, 관광 열차** 등을 이용합니다.

3 구조를 위한 교통수단에는 무엇이 있을까?

> 병원과 거리가 멀고
> 구급차가 접근하기 힘든 곳에서
> 주로 이용해.

해상 구조 보트

구조용 특수 소방차

산악 구조 헬리콥터

☑ 사람들을 ❷(구하기 / 피하기) 위해 **해상 구조 보트, 산악 구조 헬리콥터** 등을 이용합니다.

정답 ❶ 환경 ❷ 구하기

개념 체크

정답과 풀이 10쪽

1 경운기는 농촌에서 ☐☐☐ 을 운반할 때 이용합니다.

2 지프 택시는 울릉도와 같이 ☐ 이/가 많이 오는 지역에서 이용합니다.

3 강이나 바다에서 구조를 위해 이용하는 배를 ☐☐ 구조 보트라고 합니다.

보기
• 농산물   • 해산물
• 비   • 눈
• 육상   • 해상

1 산이 있는 지역에서 사용하는 교통수단이 <u>아닌</u> 것을 두 가지 고르시오. (,)

①
▲ 케이블카

②
▲ 모노레일

③
▲ 해상 구조 보트

④
▲ 카페리

⑤
▲ 지프 택시

2 다음에서 설명하는 교통수단을 보기 에서 찾아 쓰시오.

- 바다에서 주로 이용합니다.
- 사람의 힘으로만 움직입니다.
- 바다를 사이에 두고 떨어진 두 마을을 오갈 때 이용합니다.

보기
- 갯배
- 비행기
- 지프 택시
- 산악 구조 헬리콥터

( )

3 지프 택시를 이용하는 지역으로 알맞은 것을 두 가지 고르시오. (,)

① 농촌 지역

② 길이 가파른 지역

③ 여름에 더운 지역

④ 바다가 있는 지역

⑤ 눈이 많이 오는 지역

4 환경에 따른 교통수단에 대한 설명으로 알맞은 것을 보기 에서 찾아 기호를 쓰시오.

> 보기
>
> ㉠ 레일 자전거는 사람들의 목숨을 구조하기 위한 교통수단입니다.
> ㉡ 고장의 환경에 따라 교통수단을 관광이나 구조의 용도로 사용합니다.
> ㉢ 바다를 사이에 두고 떨어진 이웃 마을을 오갈 때 경운기를 이용합니다.

(   )

5 다음 검색 결과를 보고, ☐ 안에 공통으로 들어갈 알맞은 말을 쓰시오.

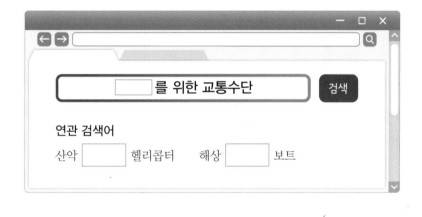

(   )

똑똑한 **하루 퀴즈**

6 다음에서 설명하는 교통수단을 말 상자에서 찾아 모두 ○표를 하세요. 말 상자의 낱말은 가로, 세로, 대각선에 숨어 있어요.

갯	벌	경	운	기
케	카	노	송	차
이	프	페	버	가
블	레	택	리	갯
카	일	나	룻	배

❶ 바다를 사이에 두고 떨어진 두 마을을 오갈 때 이용함.

❷ 농촌에서 농산물을 운반할 때 이용함.

❸ 사람들이 높은 곳을 쉽게 오르내릴 때 이용함.

❹ 사람과 자동차를 배에 실어 육지로 옮길 때 이용함.

1 옛날의 교통수단

① 종류

옛날에 하늘에서 이용했던 교통수단은 없었어.

말	돛단배	소달구지

말을 타고 부모님을 뵈러 갔음.	바람의 힘으로 강을 건넜음.	소달구지에 무거운 짐을 싣고 날랐음.

② 옛날 교통수단의 특징
- 환경의 영향을 많이 받았습니다.
- 사람이나 가축의 힘을 이용했습니다.
- 여러 사람이 함께 이용하기 어렵고, 많은 물건을 한 번에 옮기기 어려웠습니다.

2 오늘날의 교통수단

① 종류

트럭	버스
 트럭으로 이삿짐을 나름.	 버스를 타고 친구들과 함께 체험 학습을 감.

오늘날의 교통수단은 석유, 가스, 전기 등을 연료로 이용해.

② 오늘날의 교통수단이 옛날과 달라진 점
- 종류가 다양해졌습니다.
- 과학 기술의 발달로 기계의 힘을 이용합니다.
- 한 번에 많은 사람과 물건을 실어 나를 수 있습니다.

3 미래의 교통수단

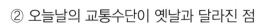

자율 주행 자동차	인공 지능을 갖춘 자동차로, 스스로 운전함.
태양광 자동차	태양광을 이용하기 때문에 주유소에서 연료를 넣을 필요가 없음.

4   교통수단의 발달과 우리 생활

① 교통수단과 관련된 시설물

자동차	주유소, 휴게소, 졸음 쉼터, 도로, 터널, 주차장, 세차장
철도	철길, 지하철역, 기차역, 역 주변의 상점
배	선착장, 여객선 터미널, 컨테이너 부두
비행기	공항, 공항버스, 공항 철도, 관제탑

② 교통수단의 발달로 여러 시설이 생겨났고, 사람들이 하는 일이 다양해졌습니다.

5   환경에 따른 교통수단

고장의 환경에 따라 다른 교통수단이 필요하구나.

지프 택시

길이 가파르고 겨울에 눈이 많이 오는 지역에서 이용함.

경운기

무거운 농사 도구나 농산물을 운반할 때 이용함.

카페리

사람과 자동차를 배에 실어 운반하기 위해 이용함.

Talk Talk

🕐 📍 📶 100%

 내가 어제 우리 할머니께 들었는데, 할머니가 어렸을 적에는 서울에서 부산까지 가는 데 하루나 걸렸대! 혹시 알고 있었어?

정말? 지금은 고속 열차나 비행기를 타면 금방인데. 교통수단의 발달이 우리 생활을 더욱 빠르고 편리하게 만들어 줬네.

 그러게 말이야. 미래에는 우리 생활이 또 어떻게 바뀔지 정말 기대되는걸!

1일 옛날의 교통수단

1 다음에서 설명하는 옛날의 교통수단을 보기 에서 찾아 쓰시오.

- 사람이 노를 저어 가던 배입니다.
- 통나무를 여러 개 이어 붙여 만들었습니다.
- 사람이 이동하거나 물건을 옮길 때 이용했습니다.

보기
- 말
- 가마
- 뗏목
- 당나귀

(   )

2 돛단배에 대해 바르게 알고 있는 어린이는 누구입니까? (   )

① 익준 : 하늘을 날 수 있었어.

② 송화 : 땅에서 이용하던 교통수단이야.

③ 준완 : 환경의 영향을 거의 받지 않았어.

④ 정원 : 수증기의 힘을 이용한 교통수단이야.

⑤ 석형 : 바람의 힘을 이용해 강을 건너는 교통수단이야.

3 다음 검색 결과 중 알맞지 않은 것을 찾아 기호를 쓰시오.

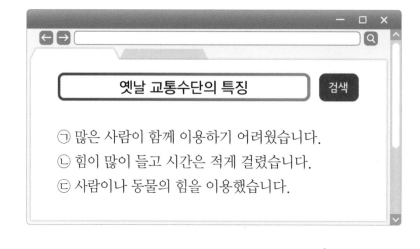

옛날 교통수단의 특징   검색

㉠ 많은 사람이 함께 이용하기 어려웠습니다.

㉡ 힘이 많이 들고 시간은 적게 걸렸습니다.

㉢ 사람이나 동물의 힘을 이용했습니다.

(   )

2일 오늘날과 미래의 교통수단

4 오늘날 이삿짐을 나를 때 주로 이용하는 교통수단의 기호를 쓰시오.

ㄱ

▲ 트럭

ㄴ

▲ 배

ㄷ

▲ 비행기

(   )

5 옛날과 오늘날의 교통수단을 비교한 것으로 알맞지 <u>않은</u> 것은 어느 것입니까? (   )

	옛날	오늘날
①	종류가 다양하지 않음.	종류가 다양함.
②	사람이나 동물의 힘을 이용함.	주로 자연의 힘을 이용함.
③	환경의 영향을 많이 받음.	환경의 영향을 거의 받지 않음.
④	여러 사람이 함께 이용하기 어려움.	한 번에 많은 사람이 이용할 수 있음.
⑤	환경을 오염시키지 않음.	환경을 오염시킴.

6 미래의 교통수단인 전기 자동차에 대한 설명으로 가장 알맞은 것은 어느 것입니까?

(   )

① 하늘과 땅을 자유롭게 다닌다.
② 환경 오염 물질을 배출하지 않는다.
③ 졸음운전으로 인한 사고를 막을 수 있다.
④ 길이 막히는 곳에서도 빠르게 갈 수 있다.
⑤ 인공 지능을 갖춘 자동차가 스스로 주행한다.

3일 교통수단의 발달과 우리 생활

7 자동차와 관련된 시설물이 <u>아닌</u> 것을 보기에서 찾아 쓰시오.

> 보기
>
> • 큰 다리　　• 주유소　　• 선착장　　• 도로　　• 터널　　• 주차장

　　　　　　　　　　　　　　　　　　　　　　（　　　　　　　　　　）

8 다음 시설과 관련된 교통수단으로 알맞은 것은 어느 것입니까? （　　　　）

▲ 관제탑

▲ 공항

▲ 공항 버스

① 배　　　　　　　② 트럭　　　　　　　③ 비행기
④ 지하철　　　　　⑤ 고속 열차

서술형

9 다음은 교통수단의 발달로 달라진 생활 모습입니다. 밑줄 친 부분에 들어갈 알맞은 말을 한 가지만 쓰시오.

> 　교통수단의 발달로 무거운 짐을 한 번에 먼 곳까지 옮길 수 있게 되었고, 새로운 직업들이 생겨났습니다. 또한 ＿＿＿＿＿＿＿＿＿＿＿＿＿＿＿＿＿＿＿＿＿＿＿＿＿
>
> ＿＿＿＿＿＿＿＿＿＿＿＿＿＿＿＿＿＿＿＿＿＿＿＿＿＿＿＿＿＿＿＿＿＿＿＿＿＿＿
>
> ＿＿＿＿＿＿＿＿＿＿＿＿＿＿＿＿＿＿＿＿＿＿＿＿＿＿＿＿＿＿＿＿＿＿＿＿＿＿＿

10 농촌 지역에서 농사 도구나 농산물을 운반할 때 이용하는 교통수단은 어느 것입니까?

(   )

① 유람선   ② 경운기   ③ 헬리콥터

④ 모노레일   ⑤ 레일 자전거

11 다양한 교통수단에 대한 설명으로 알맞지 <u>않은</u> 것은 어느 것입니까? (   )

① 카페리는 바다가 있는 지역에서 이용하는 교통수단이다.

② 사람들은 관광을 위해 열차, 버스, 유람선 등을 이용한다.

③ 갯배는 바다를 사이에 두고 떨어진 두 마을을 오갈 때 이용한다.

④ 지프 택시는 길이 완만하고 겨울에 눈이 적게 내리는 지역에서 이용한다.

⑤ 산이나 외딴 섬에서는 사람을 구하기 위해 산악 구조 헬리콥터를 이용한다.

똑똑한 하루 퀴즈

12 다음 힌트를 보고 '나'는 어떤 교통수단인지 보기 에서 찾아 쓰세요.

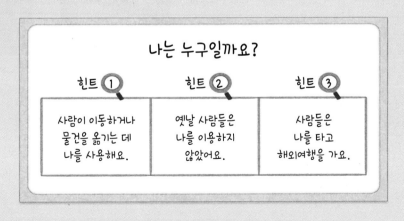

나는 누구일까요?

힌트 ①	힌트 ②	힌트 ③
사람이 이동하거나 물건을 옮기는 데 나를 사용해요.	옛날 사람들은 나를 이용하지 않았어요.	사람들은 나를 타고 해외여행을 가요.

보기
• 전차
• 비행기
• 돛단배
• 증기선

(   )

1 다음 중 땅에서 사람이 이동할 때 이용한 교통수단을 두 가지 찾아 기호를 쓰시오.

㉠ ▲ 가마

㉡ ▲ 뗏목

㉢ ▲ 말

㉣ ▲ 소달구지

(,)

2 옛날 교통수단의 특징을 바르게 말한 어린이를 쓰시오.

> 윤진 : 빠르게 이동할 수 있었어.
> 라니 : 사람이나 동물, 자연의 힘을 이용했지.

( )

3 다음 중 전기의 힘으로 움직이는 교통수단에 ○표를 하시오.

(1)

▲ 증기선

(2)

▲ 전차

( ) ( )

4 다음 교통수단을 이용하는 모습으로 가장 알맞은 것은 어느 것입니까? ( )

▲ 비행기

① 학교에 간다.
② 해외로 여행을 간다.
③ 산에서 농작물을 운반한다.
④ 바람의 힘으로 강을 건넌다.
⑤ 친구와 가까운 공원에 간다.

5 다음 미래의 교통수단에 대한 설명으로 알맞지 않은 것은 어느 것입니까? ( )

㉠ ▲ 하늘을 나는 자동차

㉡ ▲ 전기 자동차

① ㉡은 환경을 오염시킨다.
② ㉠은 도로를 달릴 수 있다.
③ ㉡은 전기의 힘으로 움직인다.
④ ㉡은 배기가스를 배출하지 않는다.
⑤ ㉠은 길이 막히는 곳에서도 빠르게 갈 수 있다.

◦ 정답과 풀이 11쪽

6 다음 중 비행기와 관련된 시설을 두 가지 찾아 기호를 쓰시오.

ㄱ

▲ 선착장

ㄴ

▲ 공항버스

ㄷ

▲ 관제탑

ㄹ

▲ 큰 다리

(　　　　,　　　　)

7 다음 그림을 보고 알 수 있는 교통수단의 발달로 달라진 생활 모습은 어느 것입니까? (　　　　)

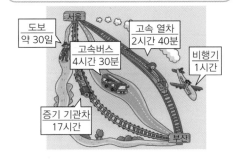

서울에서 부산까지 가는 데 걸리는 시간

도보 약 30일
고속 열차 2시간 40분
고속버스 4시간 30분
비행기 1시간
증기 기관차 17시간

① 무거운 짐을 옮길 수 없다.
② 사람들의 직업이 똑같아졌다.
③ 먼 곳으로 빠르게 갈 수 있다.
④ 이동하는 시간이 오래 걸린다.
⑤ 교통수단과 관련된 시설이 줄어들었다.

8 다음 중 길이 가파르고 겨울에 눈이 많이 오는 지역에서 이용하는 교통수단을 찾아 쓰시오.

▲ 지프 택시　　　　　▲ 모노레일

(　　　　　　　　)

9 다음에서 설명하는 교통수단은 어느 것입니까? (　　　　)

사람들이 산이나 높은 곳을 쉽고 빠르게 오르내릴 때 이용합니다.

① 갯배　　　　　　② 카페리
③ 경운기　　　　　④ 케이블카
⑤ 소달구지

10 환경에 따른 교통수단에 대해 바르게 말한 어린이를 쓰시오.

우빈 : 관광할 때는 교통수단을 이용하지 않아.
종완 : 사람들은 고장의 환경에 따라 다른 교통수단을 이용해.

(　　　　　　　　)

3주 특강

생활 속 사회

미래의 교통수단에 대해 알 수 있습니다.

스스로 움직이는 자율 주행 자동차

1 다음 미래의 교통수단에 대한 설명과 이용했을 때의 좋은 점을 알맞게 선으로 연결해 보세요.

자율 주행 자동차

전기 자동차

하늘을 나는 자동차

·   ·   ·

·   ·   ·

전기를 이용하여
움직임.

비행기처럼 하늘을
날 수 있음.

사람이 운전하지 않아도
스스로 움직임.

·   ·   ·

·   ·   ·

운전 미숙으로 인한
사고를 막을 수 있음.

길이 막히는 곳에서도
빠르게 갈 수 있음.

환경 오염 문제를
해결할 수 있음.

3 주 특강

사고 쑥쑥

교통수단과 관련된 용어를 알 수 있습니다.

2 교통수단과 관련하여 십자말풀이를 해 보세요.

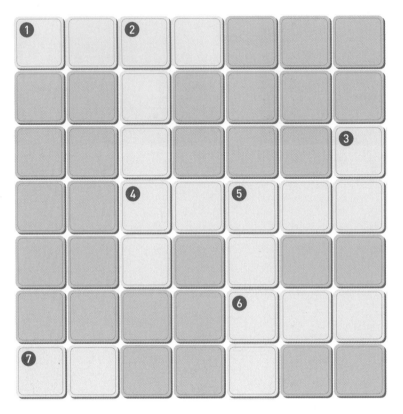

→ 가로

❶ 산지에서 농작물을 운반하거나 가파른 곳을 오르내릴 수 있도록 만들어진 교통수단

❹ 화석 연료 대신 전기의 힘으로 움직이는 자동차

❻ 자동차와 관련된 시설물로 자동차에 기름을 넣는 장소

❼ 통나무를 여러 개 이어 붙여 사람이 노를 저어 가던 배

↓ 세로

❷ 관광할 때 이용하는, 철로 위를 달릴 수 있도록 만든 자전거

❸ 기계의 힘을 이용한 초기의 교통수단으로 전기의 힘을 이용해 움직이는 차

❺ 미래에는 인공 지능을 갖추어 스스로 운전해서 이동하는 ○○ ○○ 자동차를 사용할 것임.

오늘날의 교통수단에 대해 알 수 있습니다.

3 오늘날의 교통수단과 관련된 문제의 정답을 따라 달리는 경주입니다. 현재 서 있는 레인으로 계속 달린다면 이 경주에서 이길 수 있는 친구는 누구인지 쓰세요.

(   )

논리 탄탄

암호를 풀어 보며 교통수단과 관련된 시설물을 알 수 있습니다.

4 만화를 보고 암호를 풀어 도마가 지금 어디에 있는지 맞혀 보세요.

암호 해독표

a	b	c	d	e	f	g	h	i	j	k	l	m	n
ㄱ	ㄴ	ㄷ	ㄹ	ㅁ	ㅂ	ㅅ	ㅇ	ㅈ	ㅊ	ㅋ	ㅌ	ㅍ	ㅎ
①	②	③	④	⑤	⑥	⑦	⑧	⑨	⑩	⑪	⑫	⑬	⑭
ㅏ	ㅑ	ㅓ	ㅕ	ㅗ	ㅛ	ㅜ	ㅠ	ㅡ	ㅣ	ㅐ	ㅒ	ㅔ	ㅖ

해독한 암호

5 마왕은 체험 학습을 간 도마가 잘 있나 몰래 보고 오려고 해요. 도마가 있는 섬으로 가려면 큰 강을 건너야 하는데, ㉠에 들어갈 교통수단을 보기에서 찾아 ○표를 하세요.

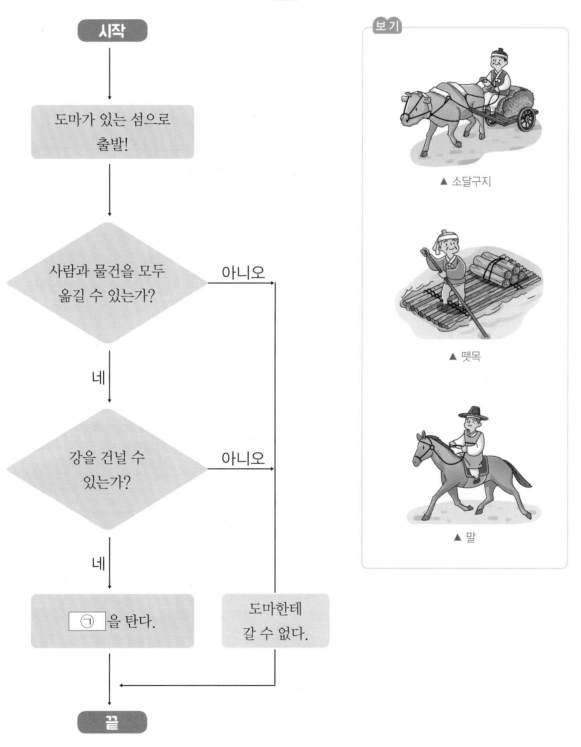

시작

도마가 있는 섬으로
출발!

사람과 물건을 모두
옮길 수 있는가?

아니오

네

강을 건널 수
있는가?

아니오

네

㉠ 을 탄다.

도마한테
갈 수 없다.

끝

보기

▲ 소달구지

▲ 뗏목

▲ 말

통신 수단

이번 주에는 무엇을 공부할까? ❶

오늘날에는 언제 어디서든 소식을 주고받을 수 있어서 편리해.

누가 합격했을까?

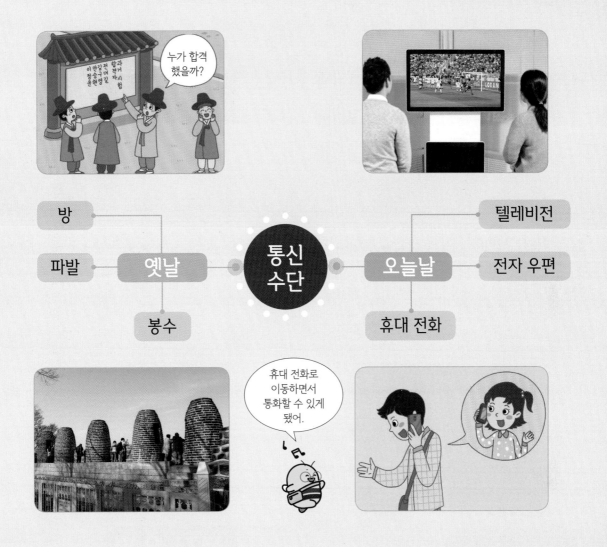

방

파발

봉수

옛날

통신
수단

오늘날

텔레비전

전자 우편

휴대 전화

휴대 전화로 이동하면서 통화할 수 있게 됐어.

통신 수단의 발달은 우리 생활을 더욱 빠르고 편하게 만들어 주었어.

통신

通 信
통할 **통** 믿을 **신**

뜻 사람들 사이에 정보와 생각을 전하는 것

예 오늘날에는 기술의 발달로 인해 **통신** 수단이 빠른 속도로 변화하고 있다.

파발

뜻 조선 시대에 공문서나 긴급한 군사 정보를 신속하게 전달하려고 만든 통신 수단

예 조선 시대의 주요한 통신 수단이었던 **파발**을 이용해 사람들은 신속한 정보 전달을 할 수 있었다.

봉수는 옛날에 가장 빨랐던 통신 수단이야.

봉수

烽 燧
봉화 **봉** 햇불 **수**

뜻 횃불과 연기로써 급한 소식을 전하던 옛날의 통신 제도

예 **봉수** 제도는 삼국 시대부터 시행되었고, 조선 시대에 전국적으로 정비되었다.

전자 우편

電 子 郵 便
번개 아들 우편 편할
전 **자** **우** **편**

뜻 컴퓨터 통신망을 이용하여 편지나 문서, 정보들을 주고받는 것

예 요즘에는 컴퓨터로 편리하게 **전자 우편**을 보낼 수 있어서 보다 쉽게 소식을 주고받는다.

통신 수단에 관련된 다양한 용어가 있어.
특히 파발, 봉수 등의 용어는 꼭 기억해!

인 터 넷

뜻 정보를 교환할 수 있도록 전 세계의 컴퓨터가 연결된 통신망

예 현대 사회에서는 많은 일을 **인터넷**을 통해 해결하고 있다.

화 상 회 의

畫 像 會 議
그림 모양 모일 의논할
화 상 회 의

뜻 상대방과 화면을 통해 서로 얼굴을 보면서 회의하는 것

예 인공 위성을 통한 **화상 회의**가 널리 이용되면 시간과 비용을 절약할 수 있다.

오늘날에는 옛날보다 빨리 소식을 전할 수 있어.

수 신 호

手 信 號
손 수 믿을 신 부를 호

뜻 손으로 하는 신호

예 물속에서는 말을 할 수 없기 때문에 간단한 의사소통은 **수신호**를 활용한다.

다른 고장의 모습을 영상 자료로 살펴볼까요?

와! 우리 동네다!

여기에서 직접 보기 어려운 것들을 컴퓨터로 볼 수 있으니 편리하네.

4 주

1_일 옛날의 통신 수단

용어 체크

📍 **통신 수단**

정보를 전달하려고 사용하는 방법이나 도구

예 휴대 전화는 현재 우리 사회에서 가장 많이 이용하는 ❶ [   ] 중

하나이다.

▲ 스마트폰

🐰 **옛날 사람들의 방식으로 소식을 전해 보자!**

🐻 **용어 체크**

📍 **서찰**

안부나 소식을 적어 보내는 글

예 옛날에는 우체국에 가는 대신 사람을

시켜 ⓵ [   ] 을 보냈다.

📍 **방**

어떤 일을 널리 알리기 위하여 사람들이 다니는 길거리나 많이 모이는 곳에 써 붙이는 글

예 전국에 합격자 발표의 ⓶ [   ] 이 붙었다.

정답 ⓵ 서찰 ⓶ 방

1 옛날 사람들은 평상시에 어떻게 소식을 전했을까?

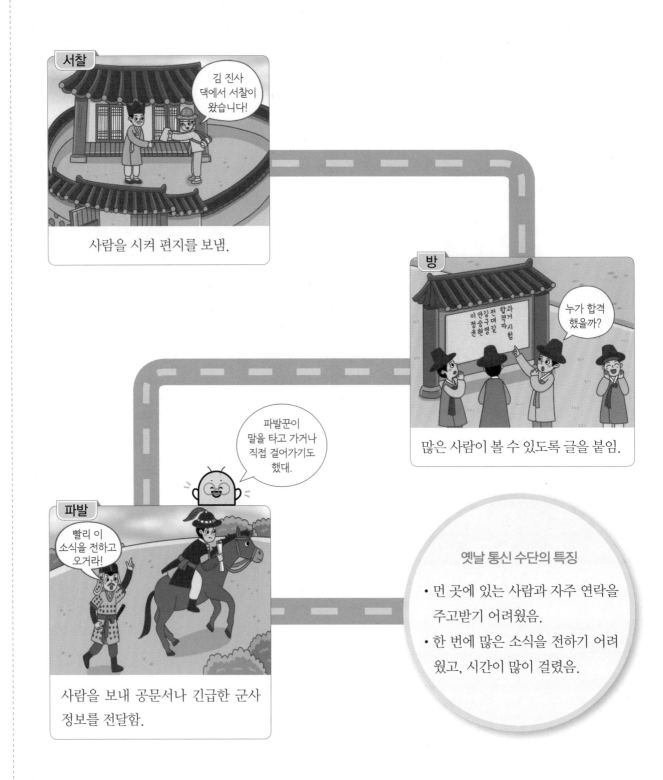

서찰

김 진사 댁에서 서찰이 왔습니다!

사람을 시켜 편지를 보냄.

방

누가 합격 했을까?

많은 사람이 볼 수 있도록 글을 붙임.

파발꾼이 말을 타고 가거나 직접 걸어가기도 했대.

파발

빨리 이 소식을 전하고 오거라!

사람을 보내 공문서나 긴급한 군사 정보를 전달함.

옛날 통신 수단의 특징

• 먼 곳에 있는 사람과 자주 연락을 주고받기 어려웠음.

• 한 번에 많은 소식을 전하기 어려웠고, 시간이 많이 걸렸음.

☑️ 방을 붙여 소식을 알리거나 ❶(사람 / 가축)이 직접 소식을 전했습니다.

2 옛날 사람들은 전쟁 상황에 어떤 통신 수단을 이용했을까?

새

사람보다 더 빨리 소식을 전할 수 있음.

북

큰 소리를 내어 많은 사람에게 소식을 전함.

신호 연

적이 알지 못하게 연의 무늬로 암호를 정함.

봉수

가장 빠른 통신 수단으로 낮에는 연기, 밤에는 횃불을 이용함.

위급할수록 횃불이나 연기의 개수를 늘렸어.

☑ 위급한 상황이 발생했을 때 ❷(파발 / 봉수), 신호 연, 새 등을 이용해 소식을 전했습니다.

정답 ❶ 사람 ❷ 봉수

개념 체크

◦ 정답과 풀이 13쪽

1 옛날에는 소식을 전하는 데 시간이 □□ 걸렸습니다.

2 사람들이 많이 모이는 곳에 글을 써 붙였던 옛날의 통신 수단을 □이라고 합니다.

3 옛날에는 전쟁 상황에 □을 띄워 작전이 바뀐 것을 알리기도 했습니다.

보 기
• 적게   • 많이
• 방   • 북
• 공   • 연

1 오른쪽 통신 수단에 대한 설명으로 알맞은 것은 어느 것입니까? (   )

① 전쟁 상황에 이용했다.

② 무늬가 있는 연을 띄웠다.

③ 큰 소리를 내어 소식을 전했다.

④ 사람이 많은 곳에 글을 써서 붙였다.

⑤ 말을 타고 가서 소식을 전하기도 했다.

▲ 파발

2 옛날의 통신 수단에 대한 설명으로 알맞은 것을 두 가지 고르시오. (,   )

① 전자 우편을 보냈다.

② 위급 상황에는 봉수를 피웠다.

③ 파발이 가장 빠른 통신 수단이었다.

④ 한 번에 많은 소식을 전할 수 있었다.

⑤ 직접 찾아가서 소식을 전하기도 했다.

3 옛날 사람들이 전쟁 상황에서 이용하던 통신 수단의 기호를 쓰시오.

㉠

▲ 신호 연

㉡

▲ 서찰

㉢

▲ 방

(   )

4 오른쪽 통신 수단을 이용해서 전했던 소식으로 알맞은 것은 어느 것입니까? (   )

① 과거에 합격한 소식을 알렸다.

② 나라의 위급한 상황을 알렸다.

③ 나라에 풍년이 들었음을 알렸다.

④ 설날이나 추석 같은 명절을 알렸다.

⑤ 마을에 잔치가 열린다는 것을 알렸다.

▲ 새

옛날의 통신 수단

집중 연습 문제 **봉수**

[5~6] 다음은 옛날의 통신 수단입니다.

ㄱ

ㄴ

ㄷ

ㄹ

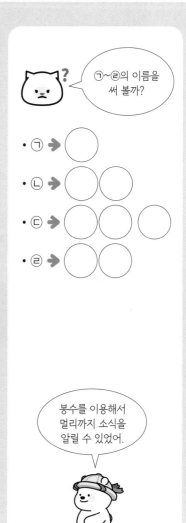

ㄱ~ㄹ의 이름을 써 볼까?

- ㄱ ➡ ◯
- ㄴ ➡ ◯◯
- ㄷ ➡ ◯◯◯
- ㄹ ➡ ◯◯

5 위 ㄱ~ㄹ 중 봉수를 찾아 기호를 쓰시오.

(   )

봉수를 이용해서 멀리까지 소식을 알릴 수 있었어.

6 위 ㄴ에 대한 설명으로 알맞은 것은 어느 것입니까? (   )

① 연기와 횃불을 이용했다.

② 전달 속도가 가장 느렸다.

③ 평상시에 이용하던 통신 수단이다.

④ 연을 띄워 작전이 바뀐 것을 알렸다.

⑤ 나라가 안전할수록 횃불이나 연기의 개수를 늘렸다.

2일 오늘날과 미래의 통신 수단

용어 체크

📍 인터넷

전 세계의 컴퓨터가 서로 연결되어 정보를 교환할 수 있는, 하나의 거대한 컴퓨터 통신망

예 요즘은 [❶   ]을 통해 필요한 정보를 많이 얻는다.

📍 메신저

인터넷에서 실시간으로 메시지와 데이터를 주고받는 프로그램

예 많은 회사에서 [❷   ]를 이용하여 업무에 관한 대화를 한다.

정답 ❶ 인터넷 ❷ 메신저

통신 수단이 발달하면 좋은 점이 뭐야?

용어 체크

음성 인식

사람이 발성한 음성의 의미 내용을 컴퓨터 따위를 사용하여 자동적으로
인식하는 것

예 미래의 교통수단인 스마트 카는 ❶ [   ]을 통해 스스로
주행하는 기능이 있다.

▲ 음성을 인식하는 미래의 자동차

1 오늘날 우리가 이용하는 통신 수단에는 무엇이 있을까?

휴대 전화

휴대 전화로 약속을 정함.

편지

편지로 소식을 전함.

세계 각국의 정보를 얻을 수도 있어.

인터넷을 이용하여 한 번에 많은 정보를 주고 받아.

전자 우편

➡ 보내기 미리보기 임시저장

받는이 □ 나에게 teacher@domain.com
제목
첨부파일 선생님께

선생님께 전자 우편을 보냄.

텔레비전

운동 경기를 시청함.

☑ 과학 기술의 발달로 ❶(편지 / 서찰), 인터넷, 전자 우편 등 여러 가지 통신 수단을 이용합니다.

2 오늘날 통신 수단의 특징은 무엇일까?

여러 사람과 동시에 연락할 수 있음.

통신 기계 하나로 다양한 통신 방법을 이용할 수 있음.

뉴스 속보

여러 사람에게 빠르게 정보를 전달할 수 있음.

☑ 다양한 통신 수단을 가지고 옛날보다 빠르게 정보와 소식을 전할 수 있습니다.

3 미래에는 어떤 통신 수단이 나타날까?

무선 인터넷이 자동차 속으로!
스마트 카

이런 자동차가 생긴다면 우리가 더욱 편리하고 안전한 생활을 하게 될 거야!

인터넷 접속이 가능한
자동차 가상 화면

서울역!

목적지까지
주행을
시작합니다.

음성 인식으로 자율 주행

사고발생

비상시 자동 위치 알림과
긴급 출동

✓ 통신 기술이 발달해 무선 인터넷이 다양한 사물에 적용되어 생활이 ❷(편리 / 불편)해질 것입니다.

정답 ❶ 편지 ❷ 편리

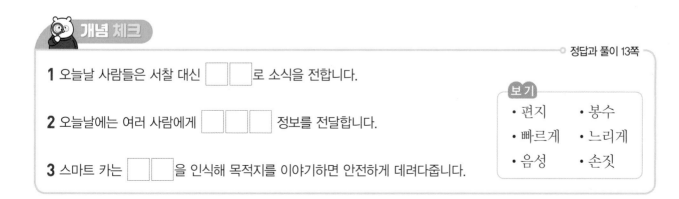

개념 체크

정답과 풀이 13쪽

1 오늘날 사람들은 서찰 대신 ☐☐로 소식을 전합니다.

2 오늘날에는 여러 사람에게 ☐☐☐ 정보를 전달합니다.

3 스마트 카는 ☐☐을 인식해 목적지를 이야기하면 안전하게 데려다줍니다.

보기
• 편지   • 봉수
• 빠르게 • 느리게
• 음성   • 손짓

1 오늘날의 통신 수단으로 알맞은 것에 모두 ○표를 하시오.

(1) ▲ 서찰   (2) ▲ 편지   (3) ▲ 전자 우편

(   )   (   )   (   )

2 오늘날 통신 수단을 이용하는 모습으로 알맞지 <u>않은</u> 것은 어느 것입니까? (   )

① 신호 연으로 모르는 길을 찾아보는 선희
② 친구에게 전화해서 숙제를 물어보는 민정
③ 메신저로 친구와 만날 약속을 정하는 동경
④ 학급 누리집 게시판을 찾아 준비물을 확인하는 윤주
⑤ 전자 우편으로 선생님께 모르는 문제를 질문하는 정연

3 오늘날 통신 수단의 특징으로 알맞은 것을 보기 에서 찾아 기호를 쓰시오.

보기
㉠ 일정한 장소에서만 이용할 수 있습니다.
㉡ 한 번에 한 사람과만 연락할 수 있습니다.
㉢ 여러 사람에게 빠르게 정보를 전달할 수 있습니다.

(   )

4 다음 □ 안에 들어갈 알맞은 통신 수단은 어느 것입니까? (   )

> 미래에는 통신 기술이 발달하며 자동차의 성능도 더욱 발전하게 될 것입니다. 스마트 카는 자동차 유리창에 ☐ 화면이 떠서 운전하면서 정보를 편리하게 찾을 수 있습니다.

① 봉수   ② 파발   ③ 편지
④ 인터넷   ⑤ 무전기

5 미래의 통신 수단으로 알맞은 것은 어느 것입니까? (   )

① 교환원이 필요한 전화
② 위급한 소식을 알리는 신호 연
③ 음성 인식으로 스스로 주행하는 자동차
④ 연기를 피워 위급한 상황을 알리는 봉수
⑤ 많은 사람이 볼 수 있도록 광장에 써 붙인 글

똑똑한 하루 퀴즈

6 수리가 생활 속에서 통신 수단을 이용했던 경험을 이야기하고 있네요. 수리가 말하고 있는 통신 수단이 무엇인지 표를 보고 맞혀 보세요.

나는 어제 ♫○♡■에서 내가 좋아하는 해외 축구팀의 경기를 봤어.

★	○	※	◆	♡	◉	♫	■	◇	♣
편	레	화	서	비	휴	텔	전	대	지

(   )

4
주

3일 통신 수단의 발달과 생활 모습

🐰 **얼굴을 보고 통화할 수 있어서 좋아!**

용어 체크

📍 **화상 통화**

상대방과 화면을 통해 서로 얼굴을 보면서 통화하는 것

예 미국에 살고 있는 친구에게 **❶** [　　　　　] 로 안부를 물었다.

옛날과 오늘날의 전화 시스템은 달라요!

📍 휴대 전화

손에 들거나 몸에 지니고 다니면서 걸고 받을 수 있는 소형 무선 전화기

예 요즘에는 거리에서 ❶ [　　　　　]를 이용하는 사람들을 흔히 볼 수 있다.

📍 교환원

전화 사용자의 전화선을 통화하고자 하는 상대편의 전화선에 연결해 주는 일을 하는 사람

예 옛날과 달리 오늘날에는 ❷ [　　　　　]이 없어도 전화를 걸 수 있다.

정답 ❶ 휴대 전화　❷ 교환원

3일 개념 익히기

 개념 동영상

1 통신 수단의 발달은 우리 생활에 어떤 영향을 주었을까?

집

휴대 전화를 이용해 가게에 직접 가지 않아도 물건을 살 수 있음.

친구들과 직접 만나지 않고 휴대 전화로 과제를 의논할 수 있음.

직장

메신저를 사용해 일을 하며 컴퓨터로 많은 정보를 처리할 수 있음.

화상 회의로 먼 곳에 있는 사람과 회의를 할 수 있음.

학교

책에서 얻지 못하는 정보들을 컴퓨터로 볼 수 있음.

학교에서는 텔레비전으로 방송 조회를 볼 수도 있지!

☑ 사람들은 언제 어디서나 정보를 ❶(느리게 / 빠르게) 주고받을 수 있게 되었습니다.

② 전화의 발달로 우리 생활은 어떻게 변했을까?

교환원이 있는 전화

○○ 면사무소 연결해 주세요.

여보세요. ○○ 면사무소 입니다.

네. 알겠습니다. 잠시만 기다리세요.

교환원이 상대방에게 연결해 줬음.

유선 전화

여보, 어머님 전화예요!

교환원 없이 상대방에게 직접 전화할 수 있음.

전화의 발달로 옛날에는 불가능하다고 생각했던 것들이 가능해졌어.

무선 전화

이동하면서 전화할 수 있음.

스마트폰

언니! 지금 그 나라 날씨는 어때?

얼굴을 보며 전화할 수 있음.

☑ 교환원이 있는 전화에서부터 유선 전화, 무선 전화, ❷(스마트폰 / 스마트 카)(으)로 발달해 왔습니다.

정답 ❶ 빠르게 ❷ 스마트폰

개념 체크

◇ 정답과 풀이 13쪽

1 회사에서는 ☐☐☐를 이용해 회사 사람들과 쉽게 연락할 수 있습니다.

2 학교에서는 책에서 얻지 못하는 정보들을 ☐☐☐로 봅니다.

3 이동하면서도 전화할 수 있다는 특징을 가진 전화는 ☐☐ 전화입니다.

보기
• 스피커   • 메신저
• 교과서   • 컴퓨터
• 유선   • 무선

1 다음 (　　　) 안에 들어갈 알맞은 통신 수단을 찾아 ○표를 하시오.

> 통신 수단의 발달로 인해 집에서 (유선 전화 / 휴대 전화)를 이용해 동영상을 보거나 친구들과 과제를 의논할 수 있게 되었습니다.

2 통신 수단의 발달로 달라진 생활 모습으로 알맞지 <u>않은</u> 것은 어느 것입니까? (　　　)

① 학교에서는 텔레비전으로 방송 조회를 본다.

② 스마트폰으로 실시간 축구 경기 중계를 본다.

③ 무거운 물건은 가게에 직접 가야만 살 수 있다.

④ 친구들과 직접 만나지 않고 휴대 전화로 과제를 의논한다.

⑤ 극장에 가지 않고도 인터넷으로 보고 싶은 영화를 예매한다.

3 다음 통신 수단을 주로 이용하는 장소는 어디인지 쓰시오.

▲ 화상 회의

▲ 인터넷 메신저

(　　　　　　　　　　)

4 서로 얼굴을 보며 전화할 수 있는 통신 수단은 어느 것입니까? (　　　)

① 파발　　　　　② 무전기　　　　　③ 신호 연

④ 스마트폰　　　⑤ 무선 호출기

5 다음 그림을 전화의 발달 순서에 맞게 기호를 쓰시오.

ⓒ 네. 지금 회사로 들어가고 있습니다.

▲ 무선 전화

ⓒ 여보, 어머님 전화예요! 네. 받으러 갈게요.

▲ 유선 전화

ⓒ 언니! 지금 그 나라 날씨는 어때?

▲ 스마트폰

ⓒ ○○ 면사무소 연결해 주세요. 여보세요. ○○ 면사무소 입니다. 네. 알겠습니다. 잠시만 기다리세요.

▲ 교환원이 있는 전화

( ) ➡ ( ) ➡ ( ) ➡ ( )

똑똑한 **하루 퀴즈**

6 통신 수단의 발달에 대한 알맞은 설명 앞에 적힌 번호를 작은 것부터 나열하면 상자의 비밀번호를 풀 수 있습니다. 비밀번호를 완성해 상자를 열어 보세요.

❼ 영화관에 가지 않고도 영화표를 예매할 수 있어요.

❷ 무선 전화보다 유선 전화가 먼저 나왔어요.

❶ 외국에 있는 친구와는 너무 멀어서 통화할 수 없어요.

❾ 친구들과 과제를 의논하려면 직접 만나야만 해요.

❺ 회사에서는 메신저를 사용해 일을 해요.

특별한 통신 수단

 물속에서도 의사소통이 가능하다고?

 용어 체크

◉ 수신호

손으로 하는 신호

예 스쿠버 다이버들은 물속에서 **①** 를 이용해 소통한다.

◉ 인터폰

동일 건물이나 선박 등에서 방과 방 사이의 통화를 위한 유선 전환 장치

예 아파트에서는 **②** 을 통해 빠르고 편리하게 관리 사무실과 연락할 수 있다.

정답 ① 수신호 ② 인터폰

사람들은 하는 일에 맞는 통신 수단을 이용해!

와! 어떻게 경찰들이 금방 범인을 포위했지?

무전기로 서로 연락을 주고받으면서 행동하기 때문이야.

끼이익   끼익

범인이 ○○거리로 도주 중. 지원 바란다.

알았다! 도주가 예상되는 길을 막겠다.

무전기는 여러 사람과 동시에 연락을 주고받을 수 있어.

그래서 출동할 위치를 서로 알려 주는구나. 하는 일에 딱 맞는 통신 수단을 사용하니 일할 때도 더 편하겠네!

생각해 보니까 나도 무전기와 비슷한 걸 가지고 있어. 하나 줄까?

정말?

쩝쩝

신난다! 우리도 경찰처럼 무전기로 연락을 주고받자!

내 거는 마계용이라 전파 대신 텔레파시를 사용하는 점이 좀 다르긴 하지만.

텔레파시 벌레.

스톱! 그냥 지금처럼 전화로 연락 주고받자.

빵빵

뒤적뒤적

꿈틀   꿈틀

파 파 파팍

4주

용어 체크

○ 무전기

전파를 이용하여 음성 신호를 서로 주고받을 수 있게 해 주는 통신 기기

예 일반적으로 ❶ [   ] 는 상대방의 말을 끝까지 듣고 그 말이 끝나야 음성 신호를

보낼 수 있다.

정답 ❶ 무전기

▶ 개념 동영상

1 통신 수단의 이용 모습은 장소에 따라 어떻게 다를까?

물속

말을 할 수 없음.

수신호를 사용해 의사소통을 함.

농촌의 주택

집이 모여 있지 않음.

농촌은 주민들이 나가서 일하는 시간이 많거든.

오늘 저녁 7시에 마을 회관에서 회의가 있습니다.

마을 방송을 사용해 연락함.

아파트

한 건물에 여러 집이 있음.

우편물이 도착해 있습니다.

인터폰으로 빠르고 편리하게 연락함.

☑ 사람들은 생활하는 ❶(습관 / 장소)에 따라 다양한 통신 수단을 이용합니다.

2 하는 일에 따라 다른 통신 수단을 이용하는 까닭은 무엇일까?

경찰관

기차역 근처 신고 접수

무전기로 출동해야 할 곳을 알려 줌.

할인점 직원

지금부터 싸게 팝니다.

할인점

무선 마이크를 이용해 물건을 판매함.

택시 기사

휴대 전화로 손님의 부름 요청을 받음.

선생님

미세 먼지 주의보 실외 활동 자제 요청

미세 먼지 주의보를 각 반에 쪽지창으로 알려 줘야겠구나.

쪽지창으로 공지 사항을 알림.

✓ 사람들은 일을 더욱 빠르게 처리하기 위해 ❷(하는 일 / 성별)에 맞는 통신 수단을 활용합니다.

정답 ❶ 장소 ❷ 하는 일

개념 체크

정답과 풀이 14쪽

1 집이 모여 있지 않은 [ ][ ]에서는 마을 방송을 사용해 연락을 합니다.

2 무전기는 주로 [ ][ ][ ]들이 출동해야 할 곳을 알리기 위해 사용합니다.

3 생활 환경에 맞는 통신 수단을 활용하면 일을 [ ][ ] 처리할 수 있습니다.

보기
• 농촌   • 도시
• 선생님 • 경찰관
• 늦게   • 빨리

1 그림 속 통신 수단을 사용하는 장소와 사용하는 까닭이 알맞게 짝 지어진 것은 어느 것입니까? (   )

	장소	사용하는 까닭
①	물속	물이 차갑기 때문에
②	물속	물속에서 말을 하기 어렵기 때문에
③	농촌	집들이 모여 있지 않기 때문에
④	농촌	한 건물에 여러 집이 있기 때문에
⑤	할인점	소식을 빠르게 전할 수 있기 때문에

오늘 저녁 7시에 마을 회관에서 회의가 있습니다.

▲ 마을 방송

2 다음 중 인터폰을 주로 사용하는 장소를 찾아 기호를 쓰시오.

ㄱ

▲ 농촌의 주택

ㄴ

▲ 아파트

ㄷ

▲ 물속

(   )

3 통신 수단과 그것을 주로 이용하는 직업을 선으로 이으시오.

(1) 무선 마이크 •   • ㉠ 경찰관

(2) 무전기 •   • ㉡ 할인점 직원

(3) 쪽지창 •   • ㉢ 선생님

4 사람들이 하는 일에 따라 다른 통신 수단을 이용하는 까닭으로 알맞은 것은 어느 것입니까? (   )

① 더 멋있어 보이기 위해

② 일이 너무 힘들기 때문에

③ 일을 더욱 재미있게 하기 위해

④ 일을 더욱 시끄럽게 처리하기 위해

⑤ 일을 더욱 빠르고 편리하게 처리하기 위해

🐻 집중 **연습 문제** 수신호

5 다음 중 수신호를 사용해 소통하는 장소를 찾아 ○표를 하시오.

(1) ▲ 물속

(   )

(2) ▲ 학교

(   )

스쿠버 다이빙에서 사용하는 수신호야.

내려가자!   손을 잡아라!

잘못됐다!   ok? ok!

6 위 **5**번 답의 장소에서 수신호를 사용하는 까닭을 보기에서 찾아 기호를 쓰시오.

보기

ㄱ 한 건물에 여러 집이 모여 있기 때문에

ㄴ 말을 하지 못하는 곳에서 자유롭게 생각을 표현하기 위해

ㄷ 집이 모여 있지 않고 주민들이 논밭에 나가 일하기 때문에

(   )

ㄱ~ㄷ의 내용과 관련 있는 통신 수단을 써 볼까?

• ㄱ ➡ [   ]

• ㄴ ➡ [   ]

• ㄷ ➡ [   ]

1 옛날의 통신 수단

① 옛날 통신 수단의 종류

파발은 주로 평상시에, 봉수는 국가가 위급할 때 이용했던 통신 수단이야.

파발	봉수	신호 연

사람을 보내 긴급한 소식을 전함.	전쟁 상황에서 연기를 피워 소식을 전함.	적이 알지 못하게 연의 무늬로 암호를 정함.

② 옛날 통신 수단의 특징
- 먼 곳에 있는 사람과 자주 연락을 주고받기 어려웠습니다.
- 한 번에 많은 소식을 전하기 어려웠습니다.

2 오늘날의 통신 수단

종류	편지, 인터넷, 휴대 전화, 전자 우편, 모바일 메신저 등
특징	• 한 번에 많은 정보를 전달할 수 있음. • 여러 사람에게 정보를 빠르게 전달할 수 있음. • 통신 기계 하나로 다양한 통신 방법을 이용할 수 있음.

3 통신 수단의 발달로 달라진 생활 모습

직장에서는 화상 회의를 이용해 회의를 하기도 해.

집	학교	직장

휴대 전화를 이용해 동영상을 봄.	책에서 얻지 못하는 정보들을 컴퓨터로 봄.	메신저를 사용해 일을 함.

4 특별한 통신 수단

장소나 하는 일에 따라 통신 수단을 이용하는 모습이 달라지네.

① 장소에 따른 통신 수단

물속

수신호를 사용해 의사소통을 함.

아파트

인터폰을 사용해 빠르고 편리하게 연락함.

② 하는 일에 따른 통신 수단

경찰관

무전기로 출동해야 할 곳을 알려 줌.

택시 기사

휴대 전화로 손님의 부름 요청을 받음.

③ 사람들이 생활하는 환경에 맞는 통신 수단을 활용하면 일을 더욱 빠르고 편리하게 처리할 수 있습니다.

4주

하루 뉴스

20△△년 △△월 △△일

통신 수단의 발달로 달라진 우리생활

최근 우리 생활 속 많은 기기들이 사물 인터넷 기술을 적용하고 있습니다. 여기에서 사물 인터넷은 사물과 사물이 인터넷으로 연결되어 서로 정보를 주고받는 환경을 말합니다.

대표적인 예로, 스마트 시계를 활용하여 개인과 가족들의 건강 상태를 확인할 수 있고, 집에서는 스마트 냉장고를 활용하며 쇼핑이나 인터넷 검색도 가능합니다.

사물 인터넷과 같은 통신 수단의 발달은 앞으로의 우리 생활을 더욱 편리하게 해 줄 것으로 기대됩니다.

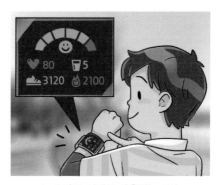

▲ 스마트 시계를 사용하는 모습

5일 4주 마무리하기 문제

1일 옛날의 통신 수단

1 옛날에 다음 보기의 통신 수단을 사용했던 때에 따라 구분하여 기호를 쓰시오.

보기

ㄱ 북　　　　　　ㄴ 방　　　　　　ㄷ 서찰
ㄹ 파발　　　　　ㅁ 봉수　　　　　ㅂ 신호 연

(1) 평상시 : (　　　　,　　　　,　　　　)

(2) 전쟁 상황 : (　　　　,　　　　,　　　　)

2 오른쪽 통신 수단에 대한 설명으로 알맞은 것은 어느 것입니까? (　　　　)

① 가장 빠른 통신 수단이었다.

② 사람이 많이 모이는 곳에 글을 써서 붙였다.

③ 연을 띄워 전쟁 시 작전이 바뀐 것을 알렸다.

④ 사람을 통해 공문서나 긴급한 소식을 전달했다.

⑤ 큰 소리를 내어 많은 사람이 들을 수 있게 했다.

3 다음 '옛날의 통신 수단 퀴즈'의 답이 알맞지 않은 것을 찾아 기호를 쓰시오.

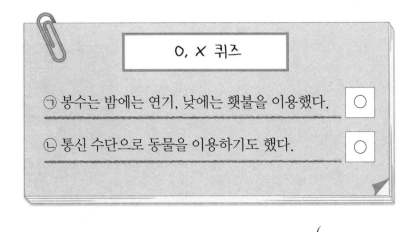

O, X 퀴즈

ㄱ 봉수는 밤에는 연기, 낮에는 횃불을 이용했다.　O

ㄴ 통신 수단으로 동물을 이용하기도 했다.　O

(　　　　　　　)

2일 오늘날과 미래의 통신 수단

4 다음은 어떤 통신 수단을 이용하는 모습인지 ☐ 안에 들어갈 알맞은 통신 수단을 쓰시오.

오늘날에는 ☐ 을 이용하여 선생님께 궁금한 점을 질문하거나 멀리 사는 친구에게 소식을 전할 수 있습니다.

(   )

서술형

5 다음 그림을 보고 알 수 있는 오늘날 통신 수단의 특징을 쓰시오.

_____

_____

6 통신 수단의 발달로 달라질 미래의 생활 모습으로 알맞은 것은 어느 것입니까? (   )

① 손목 시계로 현재 시각을 확인할 수 있다.

② 휴대 전화를 이용하여 친구와 약속을 잡는다.

③ 스마트폰을 이용하여 영상 통화를 할 수 있다.

④ 새를 이용해 빠르고 편리하게 소식을 전달한다.

⑤ 자동차가 음성을 인식하여 자동으로 목적지에 데려다준다.

3일 통신 수단의 발달과 생활 모습

7 다음 중 집에서 휴대 전화를 이용하는 우리의 생활 모습을 찾아 기호를 쓰시오.

▲ 친구들과 직접 만나지 않고
과제를 의논함.

▲ 책에서 얻지 못하는 정보들을
컴퓨터로 봄.

▲ 메신저를 사용해 일을 함.

(   )

8 통신 수단의 발달로 달라진 직장에서의 생활 모습으로 알맞은 것은 어느 것입니까?

(   )

① 교환원을 통해 전화를 한다.

② 가게에 직접 가지 않아도 장을 볼 수 있다.

③ 화상 회의로 먼 곳에 있는 사람과 회의를 할 수 있다.

④ 방송 스피커로 수업 시간과 쉬는 시간 종소리를 들을 수 있다.

⑤ 친구들을 직접 만나지 않고도 휴대 전화로 과제를 의논할 수 있다.

9 전화의 발달로 달라진 생활 모습을 <u>잘못</u> 말한 어린이는 누구인지 쓰시오.

> 연우 : 스마트폰의 발달로 얼굴을 보며 통화할 수 있어.
>
> 정석 : 무선 전화의 발달로 이동하면서 전화할 수 있게 되었어.
>
> 희열 : 오늘날에는 교환원이 없으면 상대방에게 전화할 수 없어.

(   )

10 오른쪽의 통신 수단을 주로 이용하는 사람은 누구입니까?

(　　　)

▲ 수신호

① 빠르게 출동해야 하는 경찰관

② 손님을 태워야 하는 택시 기사

③ 논밭에 나가 일하는 농촌 주민

④ 물속에서 헤엄치는 스쿠버 다이버

⑤ 많은 사람에게 물건을 파는 할인점 직원

11 다음은 생활 장소에 따라 다른 통신 수단에 대한 설명입니다. (　　　) 안의 알맞은 말에 각각 ○표를 하시오.

> 한 건물에 여러 집이 있는 (1) (할인점 / 아파트)에서는 빠르고 편리하게 연락하기 위해 (2) (인터폰 / 공중전화)을/를 사용합니다.

똑똑한 하루 퀴즈

12 다음 그림과 같이 뒤죽박죽 섞인 카드에는 옛날과 오늘날의 통신 수단들이 숨어 있어요. 카드 상자에서 낱말을 찾아 문장을 완성해 보세요.

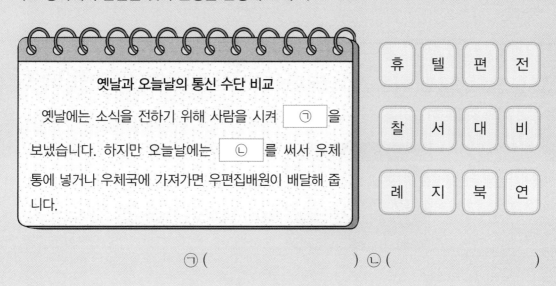

옛날과 오늘날의 통신 수단 비교

옛날에는 소식을 전하기 위해 사람을 시켜 ㉠ 을 보냈습니다. 하지만 오늘날에는 ㉡ 를 써서 우체통에 넣거나 우체국에 가져가면 우편집배원이 배달해 줍니다.

휴	텔	편	전
찰	서	대	비
례	지	북	연

㉠ (　　　　　) ㉡ (　　　　　)

1 다음 옛날의 통신 수단에 대한 설명으로 알맞은 것은 어느 것입니까? (   )

▲ 봉수

▲ 방

▲ 파발

▲ 신호 연

① ⓒ은 가장 빠른 통신 수단이다.

② ㉠, ⓛ은 평상시에 이용했던 통신 수단이다.

③ ⓒ은 낮에는 연기, 밤에는 횃불을 이용했다.

④ ㉠, ㉣은 전쟁 상황에 이용했던 통신 수단이다.

⑤ ㉣은 사람들이 많이 모이는 곳에 글을 써 붙였던 방법이다.

2 사람을 시켜 편지를 보냈던 다음 옛날의 통신 수단은 어느 것입니까? (   )

① 북

② 방

③ 서찰

④ 봉수

⑤ 전화

3 다음과 같은 특징을 가지고 있는 오늘날의 통신 수단은 어느 것입니까? (   )

- 운동 경기를 시청합니다.
- 세계 각국의 정보 등을 얻습니다.

① 방   ② 편지   ③ 파발

④ 신호 연   ⑤ 텔레비전

4 다음과 같이 친구와 전화로 약속을 전할 때 이용하는 통신 수단을 보기 에서 찾아 쓰시오.

보기
- 편지
- 인터넷
- 휴대 전화

(   )

5 오늘날 통신 수단의 특징으로 옳은 것에는 ○표, 옳지 않은 것에는 ×표를 하시오.

⑴ 한 번에 여러 사람과 연락할 수 있습니다.

(   )

⑵ 여러 사람에게 정보를 전달할 때는 오랜 시간이 걸립니다. (   )

⑶ 통신 기계 하나로 다양한 통신 방법을 이용할 수 있습니다. (   )

6 통신 수단의 발달로 학교에서 달라진 생활 모습으로 알맞은 것은 어느 것입니까? (   )

① 교환원을 통해 전화를 받는다.

② 선생님께 편지를 보내 질문한다.

③ 수업 중에 컴퓨터로 정보를 얻는다.

④ 수업 시간을 알리는 종을 직접 친다.

⑤ 친구들과 책으로만 과제를 의논한다.

7 다음 중 집에서 통신 수단을 이용하고 있는 모습을 찾아 기호를 쓰시오.

▲ 수신호를 사용해 의사
소통을 함.

▲ 휴대 전화를 이용해
장을 봄.

(   )

8 인터폰을 사용해 생활하는 모습을 찾아 ○표를 하시오.

(1)

▲ 농촌의 주택

(2)

▲ 아파트

(   ) (   )

9 다음 전화의 특징으로 알맞은 것은 어느 것입니까? (   )

네. 지금 회사로 들어가고 있습니다.

▲ 무선 전화

① 우체국을 통해 전화를 건다.

② 이동하면서 전화할 수 있다.

③ 선으로 연결되어 있는 전화이다.

④ 교환원이 상대방에게 연결해 준다.

⑤ 전화를 걸 수는 없고 받을 수만 있다.

10 다음의 통신 수단을 보고 바르게 말한 어린이를 쓰시오.

▲ 무선 마이크

정연: 말을 하기 어려운 물속에서 주로 사용해.

동민: 많은 사람에게 물건을 판매하는 할인점 직원이 주로 이용해.

성규: 경찰관이 서로 출동해야 할 곳을 알려 줄 때 사용하는 통신 수단이야.

(   )

4주특강

생활 속 사회

통신 수단의 발달로 우리 생활이 어떻게 달라졌는지 알 수 있습니다.

✓ 통신 수단의 발달과 우리 생활

1 다양한 통신 수단을 이용하고 있는 사람들의 모습이 보이네요. 옛날의 통신 수단을 사용하고 있는 사람을 모두 찾아 ○표를 하세요.

사고 쑥쑥

옛날의 통신 수단에 대해 알 수 있습니다.

2 김 선비가 말을 타고 한양으로 기쁜 소식을 전하러 가요. 옛날의 통신 수단에 대한 ○× 퀴즈를 풀어 무사히 한양에 도착할 수 있게 도와주세요.

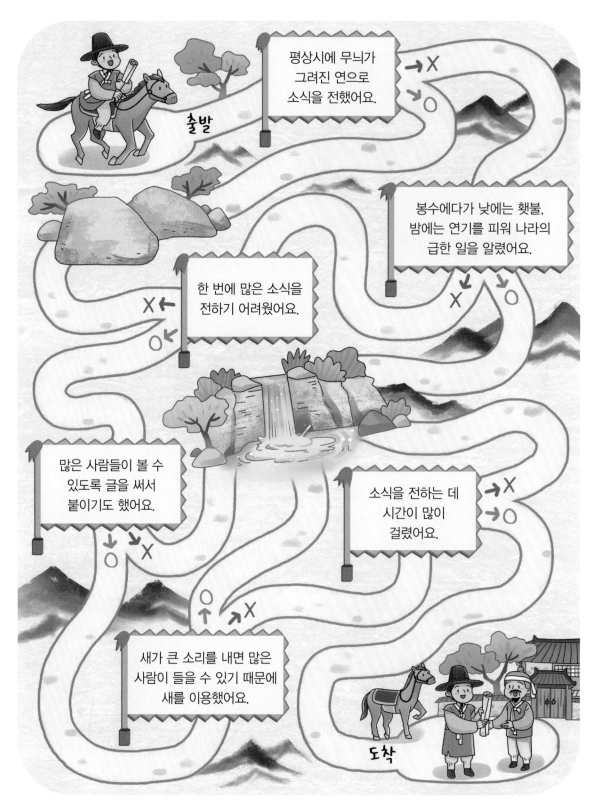

오늘날의 통신 수단에 대해 알 수 있습니다.

3 태형이가 오늘날의 통신 수단에 대해 정리한 공책에 주스를 엎어 버렸어요.

〈오늘날의 통신 수단 이용 모습〉

· ㉠　　　　으로 세계 각국의
정보를 얻을 수 있다.

· ㉡ 휴대 전화로 이동하면서
전화를 할 수 있다.

· 인터넷을 이용하여 한 번에 많은
정보를 주고받을 수 있다.

(1) ㉠에 들어갈 알맞은 통신 수단의 그림에 ○표를 하세요.

(2) ㉡에 들어갈 통신 수단을 이용하는 모습을 잘못 말한 어린이는 누구일까요?

집에서도 물건을
살 수 있어.

어디서나
보고 싶은 동영상을
볼 수 있어.

우체국을 통해
보내면 소식을
전할 수 있어.

철웅　　　승연　　　석진

(　　　　　　　　)

창의·융합·코딩

논리 탄탄

옛날 사람들이 이용했던 통신 수단을 알 수 있습니다.

4 도마와 수리가 섬에서 보물 상자를 발견했어요. 암호를 풀어 상자를 열어 보세요.

암호 해독표

a	b	c	d	e	f	g	h	i	j	k	l	m	n
ㄱ	ㄴ	ㄷ	ㄹ	ㅁ	ㅂ	ㅅ	ㅇ	ㅈ	ㅊ	ㅋ	ㅌ	ㅍ	ㅎ

①	②	③	④	⑤	⑥	⑦	⑧	⑨	⑩	⑪	⑫	⑬	⑭
ㅏ	ㅑ	ㅓ	ㅕ	ㅗ	ㅛ	ㅜ	ㅠ	ㅡ	ㅣ	ㅐ	ㅒ	ㅔ	ㅖ

해독한 암호

컴퓨터의 표현 방법을 이용하여 오늘날의 다양한 통신 수단에 대해 알 수 있습니다.

5 다음 보기 에서 통신 수단에 대한 알맞은 설명이 적힌 숫자를 찾아 네모 칸을 색칠해 보세요.

 보기

1 물속에서는 인터폰을 통해 의사소통을 합니다.

2 회사에서는 화상 회의로 먼 곳에 있는 사람과 회의를 합니다.

3 농촌에서 마을 방송을 사용하는 이유는 한 건물에 여러 집이 있기 때문입니다.

4 학교에서 선생님은 쪽지창으로 공지 사항을 알립니다.

5 오늘날에는 통신 기계 하나로 다양한 통신 방법을 이용할 수 있습니다.

6 텔레비전으로 세계 각국의 정보를 얻을 수 있습니다.

7 자전거, 자동차, 전자 우편은 오늘날의 통신 수단입니다.

4 주

컴퓨터는 픽셀이라는 점으로 그림과 글씨를 표현해.

1	5	2	3	5	6	7
4	3	7	4	1	1	5
2	1	7	5	7	1	6
6	3	7	1	3	3	4
1	5	3	1	7	2	3
3	3	5	7	6	1	7
7	1	3	4	7	3	1

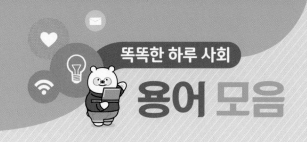

똑똑한 하루 사회
용어 모음

1~4주 동안 공부한
사회 용어를
ㄱㄴㄷ 순서로 정리했어요!

문제 읽을 준비는
저절로 되지 않습니다.

문해력을 키우는 시간

하루
10분

똑똑한 하루 국어 시리즈

문제풀이의 핵심, 문해력을 키우는 승부수

예비초~초6 각 A·B
교재별14권

예비초 A·B, 초1~초6: 1A~4C
총 14권

정답과 풀이

1주 고장의 모습

1일 고장의 장소

13쪽 개념 체크

1 학교   **2** 도서관   **3** 놀이터

14~15쪽 개념 확인하기

1 ③   **2** ③   **3** ①   **4** ⑤
5 ③   **6** ㉢

똑똑한 하루 퀴즈

7 ❶ 공원 **❷** 도서관

풀이

1 학교는 선생님, 친구들과 함께 즐거운 시간을 보내는
장소입니다.

> **왜 틀렸을까?**
> ① 공원 : 산책이나 운동을 하러 가는 곳
> ② 시장 : 생활에 필요한 물건을 사고파는 곳
> ④ 놀이터 : 놀이 기구를 타고 술래잡기도 하며 노는 곳
> ⑤ 우리 집 : 사랑하는 가족들이 함께 사는 곳

2 시장은 상품을 사고파는 장소입니다.

3 장소 카드에는 장소 이름, 장소 설명, 장소 모습 등이
들어갑니다.

4 슈퍼마켓에서 생활에 필요한 음식, 생활용품 등을
삽니다.

5 버스 터미널은 다른 고장으로 가는 버스를 타는 곳
입니다. ①은 병원, ②는 우리 집, ④는 슈퍼마켓,
⑤는 도서관과 어울리는 설명입니다.

6 놀이터는 어린이들이 놀 수 있는 시설을 갖추어 놓
은 곳입니다. ㉠은 버스 터미널 사진, ㉡은 슈퍼마
켓 사진입니다.

7 공원에서 산책과 운동을 하며, 도서관에서 책을 빌
려 읽을 수 있습니다.

2일 우리 고장 그림 비교하기

19쪽 개념 체크

1 다양   **2** 다릅니다   **3** 경험

20~21쪽 개념 확인하기

1 산, 학교   **2** ①, ②   **3** (2)○   **4** 다빈

집중 연습 문제

5 ①, ④   ・아파트   ・놀이터   ・어린이 도서관
6 ④

풀이

1 다빈이와 지후 모두 희망산, 희망초를 그렸고 미용
실과 도서관은 지후만 그렸습니다.

2 두봉천, 모수천은 다빈이만 그렸고, 희망역은 지후
만 그렸습니다. 아파트와 주민 센터는 다빈이와 지
후 모두 그렸습니다.

3 문화유산이 그려진 그림은 (2)입니다.

> **왜 틀렸을까?**
> (1)은 어린이 도서관과 학교가 그려져 있고, (3)은 산이 그
> 려져 있습니다.

4 고장에 대한 생각이나 느낌은 각자의 경험에 따라
서 서로 다를 수 있습니다. 고장에 대한 서로 다른
생각과 느낌을 이해하고 존중해야 합니다.

5 연후는 슈퍼마켓, 희망초, 공원, 서점, 문구점, 시장
을 그렸고, 서연이는 어린이 도서관, 놀이터, 슈퍼
마켓, 아파트를 그렸습니다.

6 연후와 서연이가 그린 슈퍼마켓의 모양과 크기가
다릅니다. ① 공원, ② 서점은 연후만 그렸고, ③ 놀
이터, ⑤ 어린이 도서관은 서연이만 그렸습니다.

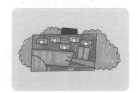

▲ 연후가 그린 슈퍼마켓   ▲ 서연이가 그린 슈퍼마켓

3일 디지털 영상 지도

25쪽 개념 체크

1 위치   2 우주   3 확대

26~27쪽 개념 확인하기

1 (2) ○   2 지후   3 ③   4 ①   5 ④

똑똑한 하루 퀴즈

6

❶ 우주 ❷ 인공위성 ❸ 컴퓨터

풀이

1 아래에서 찍은 사진에서는 밑의 구조물과 강의 모습이 보입니다.

    왜 틀렸을까?
    (1)은 옆에서 찍은 사진, (3)은 앞에서 찍은 사진입니다.

2 인공위성 사진은 우주에서 찍었습니다.

3 디지털 영상 지도는 컴퓨터와 스마트폰에서 쉽게 이용할 수 있습니다.

4 마우스를 누른 채로 움직이면 지도 안에서 원하는 위치로 이동할 수 있습니다.

5 ⊞, ⊟ 단추를 누르면 확대와 축소 기능을 이용할 수 있습니다. 마우스를 누른 상태에서 스크롤을 움직여도 확대되거나 축소됩니다.

6 디지털 영상 지도는 항공 사진이나 인공위성 사진을 지도 형식으로 바꾸고, 컴퓨터 등 다양한 기기에서 이용할 수 있도록 디지털 정보로 표현한 지도입니다.

4일 고장의 주요 장소

31쪽 개념 체크

1 기차역   2 초록색   3 고장

32~33쪽 개념 확인하기

1 ①   2 ②   3 춘천 평화 생태 공원

4 ④, ⑤

집중 연습 문제

5 ○   6 (2) ○

풀이

1 다른 고장으로 이동할 때 이용하는 장소로는 기차역이나 버스 터미널, 지하철역 등이 있습니다.

    왜 틀렸을까?
    ② 강원도청 : 사람들의 생활을 편리하게 도와주는 곳
    ③ 춘천시청 : 사람들의 생활을 편리하게 도와주는 곳
    ④ 춘천 향교 : 문화유산이 있는 곳
    ⑤ 춘천 닭갈비 골목 : 유명한 관광지가 있는 곳

2 북한강, 소양강, 봉의산은 자연과 관련 있는 고장의 주요 장소입니다.

3 춘천역 근처에 있고, 초록색으로 표현된 장소는 춘천 평화 생태 공원입니다.

    왜 틀렸을까?
    춘천역은 기차 모양, 소양강 스카이워크는 마름모 모양, 춘천 닭갈비 골목은 별 모양, 강원도청은 네모 모양, 춘천시청은 세모 모양, 공지천 유원지는 축구공과 골대 모양으로 표현되어 있습니다.

4 고장의 안내 책자, 고장의 누리집 등에서 고장의 자랑할 만한 장소를 조사할 수 있습니다.

5 공지천 유원지는 북한강의 풍경을 감상할 수 있는 산책로가 있는 장소입니다.

6 춘천 닭갈비 골목은 다른 지역 사람들도 찾는 고장의 유명한 관광지입니다.

1 ②	2 ⑩ 생활에 필요한 물건을 사고파는 곳이다.		
3 (1)○	4 ②	5 ㉢	6 민주
7 ②	8 ㉣	9 ③	
10 확대와 축소 기능		11 민수	12 ①

똑똑한 하루 퀴즈

13 [6] [0] [7] [1]

풀이

1 공원에서 산책을 즐길 수 있습니다.

2 슈퍼마켓은 식품과 여러 가지 일상 생활용품을 판매하는 곳입니다.

(인정 답안)

물건을 사는 경험과 관련지어 썼으면 정답으로 인정합니다.

인정 답안의 예

• 맛있는 음식을 사 먹었다.
• 장난감을 사서 기분이 좋았다.

3 버스 터미널은 다른 고장으로 가는 버스를 타는 곳입니다.

4 다빈이는 학교 건물을 위에서 내려다본 모양으로, 지후는 단순한 모양으로 그렸습니다.

5 같은 고장에 살면서 비슷한 경험을 했기 때문에 공통점이 있고, 사람마다 보고 듣는 것과 표현하는 방법도 달라 차이점도 있습니다.

6 고장에 대한 생각과 느낌은 서로 다를 수 있기 때문에 서로 다른 생각과 느낌을 존중해야 합니다.

7 소양강 스카이워크를 옆에서 찍은 사진에서는 유리판과 밑의 구조물이 보입니다.

8 디지털 영상 지도는 우리 고장의 전체적인 모습과 자세한 모습을 비교해 볼 수 있습니다.

9 검색창에 찾고자 하는 장소를 입력하면 지도에서 위치를 찾을 수 있습니다.

10 디지털 영상 지도의 확대와 축소 기능으로 고장을 자세히 볼 수도 있고 폭넓게 볼 수도 있습니다.

11 고장의 주요 장소를 백지도에 효과적으로 나타내기 위해서는 주요 장소의 특징을 잘 나타낼 수 있는 그림이나 기호를 사용해서 표현해야 합니다.

12 공지천 유원지에서 북한강의 풍경을 감상할 수 있습니다.

13 소방서와 시청은 사람들의 생활을 편리하게 도와주는 곳입니다.

1주 | TEST + 특강

1 ③	2 ②	3 (1)○	4 ③
5 ②	6 ③	7 ㉢○, ㉣○	
8 디지털 영상 지도		9 ⑤	10 ⑤

풀이

1 시장은 생활에 필요한 물건을 사고파는 곳입니다.

2 도서관은 다양한 종류의 책을 읽고, 빌릴 수도 있는 장소입니다.

3 장소 사진이 장소 그림보다 고장의 모습을 실감 나게 전달합니다.

4 연후만 시장을 그렸고, 서연이는 시장을 그리지 않았습니다.

5 어린이 도서관과 학교가 나타난 그림은 ②입니다.

6 ①은 아래에서, ②는 위에서, ④는 옆에서 찍은 사진입니다.

7 ㉠은 위치 찾기 기능, ㉡은 지도 변환 기능, ㉢은 이동 기능, ㉣은 확대와 축소 기능입니다.

8 디지털 영상 지도는 스마트폰이나 컴퓨터에서 쉽게 이용할 수 있습니다.

9 시청, 도청, 병원, 소방서 등은 사람들의 생활을 편리하게 도와주는 곳입니다.

10 닭갈비 골목은 먹거리와 관련된 그림으로 나타내는 게 효과적입니다.

43쪽 생활 속 사회 융합

풀이

1 디지털 영상 지도는 항공 사진이나 인공위성 사진을 지도 형식으로 바꾸고, 컴퓨터 등 다양한 기기에서 이용할 수 있도록 디지털 정보로 표현한 지도로, 컴퓨터와 스마트폰에서 쉽게 이용할 수 있습니다. 또한 고장의 위치를 쉽게 알 수 있고, 고장의 모습을 생생하게 볼 수 있으며 고장의 전체적인 모습과 자세한 모습을 비교해 볼 수 있습니다. 산, 강, 큰길 등의 밑그림만 그려져 있는 지도는 백지도입니다.

▲ 디지털 영상 지도

44~45쪽 사고 쑥쑥 창의

2 ㉠, ㉢
3 (1)

기차역   시청   우리집

(2) ㉣

풀이

2 도마는 산과 슈퍼마켓에서 있었던 경험을 떠올리고 있습니다.

3 (1) 주요 장소는 여러 장소 중에서 눈에 잘 띄거나 사람들이 자주 찾는 곳입니다. 기차역은 다른 고장으로 이동할 때 이용하는 장소, 시청은 사람들의 생활을 편리하게 도와주는 장소로 고장의 주요 장소입니다.

(2) 디지털 영상 지도를 확대하면 주변을 자세히 볼 수 있습니다.

왜 틀렸을까?

㉠ 위치 찾기 기능 : 검색창에 찾고자 하는 장소를 입력하면 지도에서 위치를 찾을 수 있음.
㉡ 지도 변환 기능 : 원하는 지도를 누르면 지도의 종류를 바꿀 수 있음.
㉢ 이동 기능 : 마우스를 누른 채로 움직이면 지도 안에서 원하는 위치로 이동할 수 있음.

46~47쪽 논리 탄탄 코딩

4 ❶ 시장 ❷ 4
5 1356

풀이

4 시장은 우리 생활에 필요한 물건을 사고파는 곳입니다.

5 디지털 영상 지도는 인공위성 사진으로 만듭니다.

2주 고장의 옛이야기와 문화유산

1일 고장의 옛이야기

55쪽 개념 체크

1 창고   2 기와말   3 말

56~57쪽 개념 확인하기

| 1 ④ | 2 ⑤ | 3 ③ | 4 얼음골 |
| 5 ② | 6 ⓛ | | |

똑똑한 하루 퀴즈

7 현우, 미연

풀이

1 옛날 안성에는 유기를 만드는 사람이 많았는데, 솜씨가 뛰어나 품질이나 모양이 사람들을 매우 만족시켜서 '안성맞춤'이라는 말이 생겼습니다.

2 서빙고는 서쪽의 얼음 창고라는 뜻입니다. 냉장고가 없던 옛날에는 겨울에 강이 얼면 얼음을 잘라 창고에 저장했다가 여름에 사용했습니다.

3 정몽주는 고려 시대의 뛰어난 학자로, '포은'이라는 호를 사용했습니다.

4 경상남도 밀양시의 얼음골은 더운 여름 바위틈에 얼음이 생긴다고 해서 붙은 이름입니다.

> **왜 틀렸을까?**
> • 기와말 : 기와를 굽던 큰 가마터가 있었다고 하여 붙은 이름
> • 고탑 마을 : 마을에 오래된 탑이 있어 붙은 이름
> • 장승배기 : 마을에 장승이 있어 붙은 이름

5 경기도 양평군의 두물머리는 북한강과 남한강의 두 물줄기가 만나는 곳이라 해서 붙은 이름입니다.

6 서울특별시 서초구 양재동은 서울을 오가는 사람들이 말에게 죽을 끓여 먹인 곳이라고 해서 '말죽거리'라고 불렸습니다.

7 얼음골과 두물머리는 자연환경을, 말죽거리와 기와말은 생활 모습을 알 수 있는 지명입니다.

2일 고장의 옛이야기 조사하기

61쪽 개념 체크

1 주제   2 사진기   3 역할놀이

62~63쪽 개념 확인하기

| 1 ④ | 2 ③ | 3 ⓐ | 4 ⑤ |
| 5 ④ | | | |

똑똑한 하루 퀴즈

6 문화원

풀이

1 조사 주제는 무엇으로 정할지, 조사 목적은 무엇인지, 무엇을 조사해야 할지, 어떤 방법으로 조사해야 할지, 조사할 때 필요한 물건과 주의할 점은 무엇인지 생각해 조사 계획서를 작성합니다.

2 지역의 시청, 군청, 구청 누리집을 검색하거나 지역에서 오래 사신 분이나 지역을 잘 알고 있는 분께 여쭤보는 방법으로 우리 고장의 옛이야기를 조사할 수 있습니다.

▲ 고장 누리집 검색

▲ 고장 문화원 방문

3 염창터 표지석을 통해 염창동이라는 이름이 생긴 까닭을 알 수 있습니다.

4 조사 결과, 더 알고 싶은 점, 느낀 점 등을 넣어 조사 결과 보고서를 만듭니다.

5 고장의 옛이야기를 소개하는 사진이나 그림, 글, 만화, 홍보 캐릭터나 상표 등을 담아 안내 책자로 만들어 소개합니다.

6 문화원은 어떤 지역의 문화를 한눈에 접할 수 있도록 만들어 놓은 공간입니다.

3일 고장의 문화유산

67쪽 개념 체크

1 신라	2 무형	3 탈춤

68~69쪽 개념 확인하기

1 ㄹ	2 ⑤	3 (2) ○	4 가야금 병창

5 누비

집중 연습 문제

6 ③ 첨성대   7 농사

풀이

1 우리 조상 대대로 전해 내려온 문화 중에서 다음 세대에 물려줄 만한 가치가 있는 것을 문화유산이라고 합니다.

2 경주 동궁과 월지는 신라 왕궁의 별궁터입니다.

> **왜 틀렸을까?**
> ① 불국사 : 경상북도 경주시 토함산에 있는 신라 시대의 절
> ② 석굴암 : 화강암을 쌓아 올려 동굴처럼 만든 시라 시대의 절
> ③ 가야금 병창 : 가야금을 연주하며 민요나 판소리의 한 부분을 부르는 전통 예술
> ④ 성덕 대왕 신종 : 신라에서 만든 범종으로, 우리나라에 남아 있는 가장 큰 범종

3 무형 문화유산은 예술 활동, 기술과 같이 형태가 없는 문화유산입니다.

4 가야금 병창은 직접 가야금을 연주하면서 민요나 판소리의 한 부분을 부르는 전통 예술입니다.

5 우리 조상들은 누비로 튼튼하고 따뜻한 옷과 이불을 만들어 입거나 덮었습니다.

6 첨성대로 옛날에도 별을 관찰하고 기록했다는 것을 알 수 있습니다.

7 첨성대에서 하늘을 보고 기후를 알게 되어 농사짓는 데 도움이 되었습니다.

4일 고장의 문화유산 조사하기

73쪽 개념 체크

1 답사	2 목적	3 보고서

74~75쪽 개념 확인하기

1 ④	2 민정	3 ②	4 ②

5 ㉠, ㉢

똑똑한 하루 퀴즈

6

면담하기   역할놀이

일기 쓰기   구연동화

풀이

1 문화재청이나 시·군·구청 누리집에서 우리 고장의 문화유산을 조사할 수 있습니다.

2 면담은 서로 만나서 이야기하거나 의견을 나누는 것입니다.

3 경주 안내도에는 김유신 묘, 동궁과 월지, 석굴암, 대릉원, 첨성대, 불국사가 나와 있습니다.

4 답사 목적을 정하고 답사 장소와 날짜, 조사할 내용, 답사 방법과 준비물 등을 정한 후 답사를 합니다.

5 답사를 할 때에는 다치지 않도록 조심하고, 문화유산을 함부로 만져서 훼손하는 일이 없도록 하며 설명을 들을 때에는 중요한 내용을 적습니다.

6 답사는 조사할 문화유산이 있는 현장에 직접 가서 조사하는 것입니다. 답사 방법에는 관찰하기, 설명 듣기, 그림 그리기, 면담하기 등이 있습니다.

78~81쪽 마무리하기 문제

1 ⑤	2 ㉡	3 ③	4 ①
5 ①	6 ⑤	7 ⑤	
8 예 무형 문화유산이다.		9 현우	10 ⑤
11 예 답사			

똑똑한 하루 퀴즈

12 퀴즈1 탈춤　퀴즈2 전통장

풀이

1 서빙고동이라는 고장의 이름에 담긴 옛이야기를 통해 이곳에 얼음을 저장하는 창고가 있었다는 것과 옛날 사람들이 어떻게 여름에 얼음을 구했는지 알 수 있습니다.

2 고장의 옛이야기로 당시의 자연환경이나 옛날 사람들의 생활 모습을 알 수 있고, 오늘날 우리 고장의 유래나 특징을 알 수 있습니다.

3 경기도 성남시 복정동은 기와를 굽던 큰 가마터가 있었기 때문에 기와말이라고 불렸습니다.

4 소방서는 화재 예방·진압 등의 소방 업무를 담당하는 곳입니다.

5 무엇을 알게 되었는지, 더 알고 싶은 점은 무엇인지, 느낀 점은 무엇인지에 초점을 두고 조사 결과를 정리합니다.

6 문화원 방문은 고장의 옛이야기를 조사하는 방법입니다.

7 첨성대는 하늘의 별을 관찰하던 시설로, 옛날에도 별을 관찰하고 기록했음을 알 수 있는 문화유산입니다.

8 가야금 병창, 전통장은 형태가 없는 문화유산입니다.

【 인정 답안 】

무형 문화유산의 개념을 알맞게 썼으면 정답으로 인정합니다.

인정 답안의 예

• 형태가 없는 문화유산이다.

• 예술 활동, 기술과 관련된 문화유산이다.

9 향교는 지방의 교육을 담당했던 교육 기관입니다.

10 면담은 만나서 얼굴을 보고 이야기하는 것입니다.

11 답사는 조사할 대상이 있는 현장에 직접 가서 조사하는 것으로, 생생한 지식을 얻을 수 있습니다.

12 탈춤은 탈을 쓰고 노래와 이야기를 하는 놀이 연극이고, 전통장은 화살을 담는 긴 통을 만드는 사람입니다.

▲ 탈춤

2주 | TEST + 특강

82~83쪽 누구나 100점 TEST

1 ⑤	2 ⑤	3 ⑤	4 ④
5 소금	6 ②	7 ⑤	8 ①
9 성덕 대왕 신종		10 ㉡	

풀이

1 서빙고는 서쪽의 얼음 창고라는 뜻입니다.

2 말죽거리는 옛날 사람들의 생활 모습을 알 수 있는 지명입니다.

【 왜 틀렸을까? 】

①은 고탑 마을, ②는 두물머리, ③은 얼음골, ④는 기와말과 관련된 설명입니다.

3 경기도 양평군의 두물머리는 북한강과 남한강의 두 물줄기가 만나는 곳이라 해서 붙은 이름입니다.

4 조사 결과는 조사 결과 보고서에 들어갈 내용입니다.

5 염창터 표지석을 통해 염창동이라는 이름이 생긴 까닭을 알 수 있습니다.

6 무형 문화유산은 예술 활동, 기술과 같이 형태가 없는 문화유산입니다.

7 누비는 두 겹의 천 사이에 솜을 넣어 꿰매는 손바느질입니다.

8 탈춤은 탈을 쓰고 노래와 이야기를 하는 놀이 연극으로 조상들이 가슴 속에 맺힌 불만을 시원하게 표현했다는 것을 알 수 있는 문화유산입니다.

9 성덕 대왕 신종은 신라에서 만든 범종으로, 우리나라에 남아 있는 가장 큰 범종입니다.

10 답사는 조사할 문화유산이 있는 현장에 직접 가서 조사하는 것입니다.

85쪽 생활 속 사회 융합

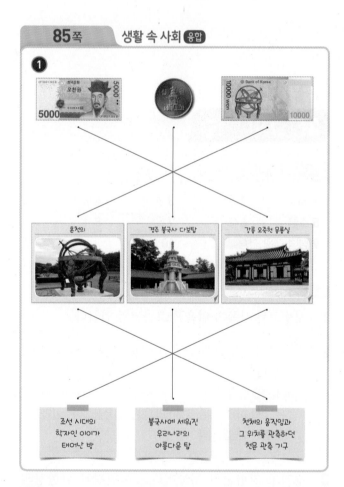

풀이

1 혼천의는 천체의 움직임과 그 위치를 관측하던 천문 관측 기구, 경주 불국사 다보탑은 불국사에 세워진 아름다운 탑, 강릉 오죽헌 몽룡실은 이이가 태어난 방입니다.

86~87쪽 사고 쑥쑥 창의

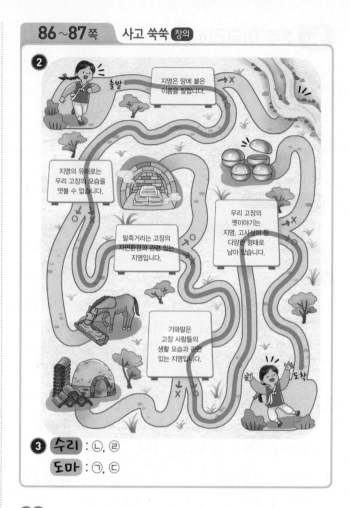

3 수리 : ㉡, ㉣
도마 : ㉠, ㉢

풀이

2 고장의 지명은 땅의 생김새나 옛날에 있었던 일 등과 관련이 깊습니다.

3 건축물, 과학 발명품과 같이 형태가 있는 문화유산은 유형 문화유산, 예술 활동, 기술과 같이 형태가 없는 문화유산은 무형 문화유산이라고 합니다.

88~89쪽 논리 탄탄 코딩

4 정몽주 **5** ①↑ ②↑

풀이

4 포은 정몽주의 묘가 있는 용인시에서는 포은이라는 이름을 넣어서 정몽주의 업적과 함께 고장을 널리 알리고 있습니다.

5 첨성대는 하늘의 별을 연구하고 관찰하던 시설입니다.

1일 옛날의 교통수단

97쪽 개념 체크

1 바람	2 땅	3 수증기

98~99쪽 개념 확인하기

1 ⑤   2 ㉡   3 ⑤   4 증기선

5 (1) 돛단배 (2) 소달구지 (3) 비행기

집중 연습 문제

6 ㉡
- ㉠ ➡ 전차
- ㉡ ➡ 가마

7 ②

풀이

1 옛날 사람들은 돛단배, 말, 가마, 당나귀 등의 교통수단을 이용했습니다.

2 뗏목은 옛날에 사람이 이동하거나 물건을 옮기기 위해 물에서 이용했던 교통수단입니다. 말은 땅에서 사람이 이동하기 위해 이용했던 옛날의 교통수단이며, 전차는 전기의 힘을 이용하던 초기의 교통수단입니다.

3 옛날의 교통수단은 많은 물건을 한 번에 옮기기 어려웠습니다.

4 증기선은 수증기의 힘을 이용한 초기의 교통수단입니다. 과학 기술의 발달로 기계의 힘을 이용한 교통수단이 등장하기 시작했습니다.

5 돛단배는 바람의 힘을 이용한 옛날의 교통수단이고, 소달구지는 무거운 짐을 싣고 나르기 위한 교통수단입니다. 비행기는 기계의 힘을 이용해 하늘을 날았던 교통수단입니다.

6 가마는 한 사람이 타고 여러 사람이 함께 들고 갔던, 땅에서 이용했던 교통수단입니다.

7 ㉡은 가마로, 땅에서 사람이 이동할 때 이용했습니다.

2일 오늘날과 미래의 교통수단

103쪽 개념 체크

1 비행기	2 다양	3 전기

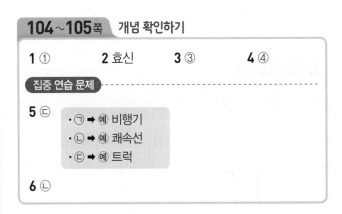

104~105쪽 개념 확인하기

1 ①   2 효신   3 ③   4 ④

집중 연습 문제

5 ㉢
- ㉠ ➡ 예 비행기
- ㉡ ➡ 예 쾌속선
- ㉢ ➡ 예 트럭

6 ㉡

풀이

1 자전거는 가까운 곳에 갈 때 주로 이용하는 오늘날의 교통수단입니다.

2 버스는 많은 사람을 한 번에 태워서 이동할 수 있는 교통수단입니다.

3 전기 자동차는 환경 오염 물질을 배출하지 않아 차가 많은 도시 지역에서도 깨끗한 공기 속에서 생활할 수 있습니다.

4 자율 주행 자동차는 인공 지능을 갖춘 자동차가 스스로 운전하여 운전 미숙이나 졸음운전으로 인한 사고를 막을 수 있습니다.

5 트럭은 주로 화물을 운반하기에 적합하게 제작된 자동차를 말합니다.

6 옛날에는 소달구지를 이용해 무거운 짐을 날랐지만, 오늘날에는 트럭을 이용해 짐을 나릅니다.

◀ 트럭

3일 교통수단의 발달과 우리 생활

109쪽 개념 체크

1 비행기   2 선착장   3 직업

110~111쪽 개념 확인하기

1 배   2 ④   3 ㉡, ㉢   4 ④
5 ②

똑똑한 하루 퀴즈

6 ㉠ 예 관제탑 ㉡ 예 주유소

풀이

1 배와 관련된 시설물에는 선착장, 여객선 터미널, 컨테이너 부두 등이 있습니다.

2 교통수단이 발달하면서 사람들은 여러 가지 시설을 만들어 이용하게 되었습니다. 비행기와 관련된 시설에는 공항, 공항 철도, 관제탑 등이 있습니다. 또한 배와 관련된 시설로는 여객선 터미널, 선착장, 컨테이너 부두 등이 있습니다.

【 왜 틀렸을까? 】
① 도로, ② 주차장은 모두 자동차와 관련된 시설입니다.

3 사진 속 교통수단은 자동차입니다. 자동차와 관련된 시설물로는 큰 다리, 주차장, 도로, 터널 등이 있습니다. 기차역은 철도, 공항 철도는 비행기와 관련된 시설물입니다.

4 교통수단의 발달로 새로운 직업들이 생겨났습니다. 그중에서도 자동차의 발달로 버스나 택시를 운전하는 분들이 생겼습니다.

5 교통수단의 발달로 외국의 물건들을 쉽게 구할 수 있게 되었습니다.

6 ㉠에는 비행기와 관련된 시설물이, ㉡에는 자동차와 관련된 시설물이 들어가야 합니다. 비행기와 관련된 시설물에는 공항, 공항 철도, 관제탑 등이 있고, 자동차와 관련된 시설물에는 주유소, 가스 충전소, 휴게소 등이 있습니다.

4일 환경에 따른 교통수단

115쪽 개념 체크

1 농산물   2 눈   3 해상

116~117쪽 개념 확인하기

1 ③, ④   2 갯배   3 ②, ⑤   4 ㉡
5 예 구조

똑똑한 하루 퀴즈

6

갯	벌	경	운	기
케	카	노	송	차
이	프	페	버	가
블	레	택	리	갯
카	일	나	룻	배

❶ 갯배 ❷ 경운기 ❸ 케이블카 ❹ 카페리

풀이

1 산이 있는 지역에서는 주로 케이블카, 모노레일, 지프 택시 등을 이용합니다.

【 왜 틀렸을까? 】
③ 해상 구조 보트는 강이나 바다에서 구조를 위해 이용하는 배이고, ④ 카페리는 사람과 함께 자동차를 배에 실어 운반하기 위해 이용하는 교통수단입니다.

2 갯배는 바다로 나누어진 마을을 이어주는 배로 사람의 힘으로 움직여 건너편으로 이동합니다.

3 길이 가파르고 겨울에 눈이 많이 오는 울릉도 같은 지역에서는 안전을 위해 눈길을 잘 다니는 지프 택시를 이용합니다.

4 사람들은 고장의 환경에 따라 교통수단을 관광이나 구조의 용도로 이용하기도 합니다.

【 왜 틀렸을까? 】
㉠ 레일 자전거는 사람들이 관광할 때 이용하는 교통수단입니다.
㉢ 바다를 사이에 두고 떨어진 이웃 마을을 오갈 때는 주로 갯배를 이용합니다.

5 구조를 위한 교통수단에는 구조용 특수 소방차, 산악 구조 헬리콥터, 해상 구조 보트 등이 있습니다.

120~123쪽 마무리하기 문제

1 뗏목   **2** ⑤   **3** ㉢   **4** ㉠

5 ②   **6** ②   **7** 선착장   **8** ③

9 예 사람들이 먼 곳으로 빠르게 갈 수 있게 되었다.

10 ②   **11** ④

똑똑한 하루 퀴즈

12 비행기

풀이

1 뗏목은 물에서 이용하던 옛날의 교통수단입니다.

2 돛단배는 돛에 바람을 받게 하여 앞으로 나아가는 배입니다.

3 옛날의 교통수단은 힘이 많이 들고 시간이 오래 걸린다는 단점이 있습니다.

4 트럭은 무거운 짐을 나를 때 주로 이용하는 오늘날의 교통수단입니다. 배는 섬을 여행할 때 주로 이용하고, 비행기는 해외에 갈 때 주로 이용하는 교통수단입니다.

5 옛날의 교통수단은 사람이나 동물, 자연의 힘을 이용했으나 오늘날의 교통수단은 기계의 힘을 이용합니다.

6 전기 자동차는 환경 오염 물질을 배출하지 않아 차가 많은 도시 지역에서도 깨끗한 공기 속에서 생활할 수 있습니다.

(왜 틀렸을까?)
①과 ④는 하늘을 나는 자동차, ③과 ⑤는 자율 주행 자동차에 대한 설명입니다.

7 자동차와 관련된 시설물에는 큰 다리, 주유소, 도로, 터널, 주차장 등이 있습니다.

8 비행기를 이용할 때 필요한 시설물에는 공항, 공항버스, 공항 철도, 관제탑 등이 있습니다.

9 교통수단의 발달로 우리 생활은 더욱 편리해졌습니다.

(인정 답안)
교통수단의 발달로 달라진 생활 모습이 알맞게 들어갔으면 정답으로 인정합니다.

인정 답안의 예
• 먼 지역과 우편이나 물건을 보내고 받을 수 있다.
• 해외여행을 다녀올 수 있다.
• 예전에는 가기 어려웠던 곳을 편하게 갈 수 있다.

10 경운기는 농촌 지역에서 무거운 농사 도구나 농산물을 운반할 때 이용하는 교통수단입니다.

11 지프 택시는 길이 가파르고 겨울에 눈이 많이 오는 울릉도 같은 지역에서 이용합니다.

12 비행기는 하늘에서 이용하는 오늘날의 교통수단으로 주로 다른 나라에 갈 때 이용합니다.

3주 | TEST + 특강

124~125쪽 누구나 100점 TEST

1 ㉠, ㉢   **2** 라니   **3** (2) ○   **4** ②

5 ①   **6** ㉡, ㉢   **7** ③   **8** 지프 택시

9 ④   **10** 종완

풀이

1 가마와 말은 옛날에 땅에서 사람이 이동할 때 이용했던 교통수단입니다.

2 옛날 교통수단은 이동하는 데 시간이 오래 걸렸습니다.

3 전차는 전기의 힘으로 움직였던 기계의 힘을 이용한 초기의 교통수단입니다.

4 오늘날에는 해외여행을 갈 때 주로 비행기를 이용합니다.

5 전기 자동차는 배기가스를 배출하지 않아 환경을 오염시키지 않는다는 특징이 있습니다.

6 비행기와 관련된 시설에는 공항, 공항버스, 관제탑, 공항 철도 등이 있습니다.

7 교통수단의 발달로 사람들은 먼 곳으로 빠르게 갈 수 있게 되었습니다.

8 지프 택시는 길이 가파르고 겨울에 눈이 많이 오는 지역에서 안전을 위해 이용합니다.

10 고장의 환경에 따라 교통수단을 관광이나 구조의 용도로 사용하기도 합니다.

127쪽 생활 속 사회 융합

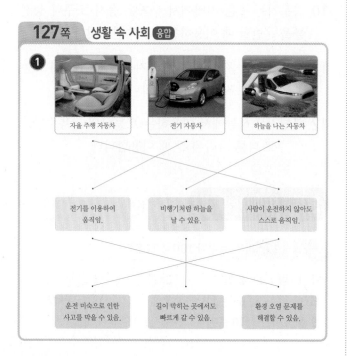

풀이

❶ 미래에는 전기 자동차, 자율 주행 자동차, 하늘을 나는 자동차, 태양광 자동차 등을 이용할 것입니다.

128~129쪽 논리 탄탄 코딩

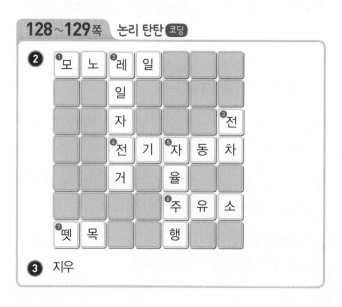

❸ 지우

풀이

❸ 교통수단의 발달로 오늘날에는 옛날보다 다양한 종류의 교통수단을 이용합니다.

130~131쪽 논리 탄탄 코딩

❹ 선착장

❺

▲ 소달구지

▲ 뗏목

▲ 말

풀이

❹ 주어진 암호를 풀면 선착장이 나옵니다. 선착장은 배가 와서 닿는 곳을 말합니다.

◀ 선착장

❺ 사람과 물건을 모두 옮길 수 있고, 강을 건널 수 있는 교통수단은 뗏목입니다. 뗏목은 옛날에 사람과 물건을 옮기기 위해 물에서 이용했던 교통수단으로, 통나무를 여러 개 이어 붙여 사람이 노를 저어 가던 배입니다.

4주 통신 수단

1일 옛날의 통신 수단

139쪽 개념 체크

1 많이   2 방   3 연

140~141쪽 개념 확인하기

1 ⑤   2 ②, ⑤   3 ㉠   4 ②

집중 연습 문제

5 ㉡   • ㉠ ➡ 북   • ㉡ ➡ 봉수
        • ㉢ ➡ 신호 연   • ㉣ ➡ 파발

6 ①

풀이

1 파발은 옛날 사람들이 평상시에 급한 소식을 전할 때 이용했던 통신 수단입니다.

2 옛날에는 사람이 직접 소식을 전하기도 했으며, 위급 상황에는 가장 빠른 통신 수단인 봉수를 이용했습니다.

3 옛날 사람들은 전쟁 상황에서 신호 연을 띄워 작전이 바뀐 것을 알렸습니다.

4 옛날에는 적이 쳐들어오거나 위급한 상황이 발생했을 때 북, 신호 연이나 새 등을 이용해 소식을 전했습니다.

5 ㉠~㉣은 옛날 사람들이 이용했던 통신 수단으로, ㉠은 북, ㉡은 봉수, ㉢은 신호 연, ㉣은 파발입니다.

6 봉수는 낮에는 연기, 밤에는 횃불을 이용하여 나라의 급한 일을 전했던 가장 빠른 통신 수단입니다.

2일 오늘날과 미래의 통신 수단

145쪽 개념 체크

1 편지   2 빠르게   3 음성

풀이

1 오늘날에는 편지를 써서 우체통에 넣거나 우체국에 가져가면 우편집배원이 배달해 줍니다. 또한 인터넷을 이용해 전자 우편을 쓰기도 합니다.

2 신호 연은 옛날에 이용했던 통신 수단입니다.

3 오늘날에는 통신 수단을 이용하여 여러 사람과 동시에 연락할 수 있고, 언제 어디서든 빠르게 정보를 전달할 수 있습니다.

4 교통수단과 통신 수단이 결합된 스마트 카는 미래에 우리가 더욱 편리한 생활을 할 수 있도록 도와줄 것입니다.

5 미래에는 음성을 인식해 자율 주행하는 기능이 있는 자동차를 이용할 것입니다.

6 오늘날에는 위성을 이용해 텔레비전으로 각 나라에서 일어나는 일들을 알 수 있습니다.

3일 통신 수단의 발달과 생활 모습

151쪽 개념 체크

1 메신저   2 컴퓨터   3 무선

152~153쪽 개념 확인하기

1 휴대 전화   2 ③   3 예 직장
4 ④   5 ㉣, ㉡, ㉠, ㉢

똑똑한 하루 퀴즈

6 2 5 7

풀이

1 집에서 휴대 전화를 이용하여 동영상을 보거나 친구들과 직접 만나지 않고도 과제를 의논할 수 있습니다.

2 오늘날에는 휴대 전화를 이용해 가게에 직접 가지 않고도 물건을 살 수 있게 되었습니다.

3 직장에서는 화상 회의로 먼 곳에 있는 사람과 회의를 하고, 메신저를 활용해 일을 합니다.

4 스마트폰의 발달로 사람들은 서로 얼굴을 보면서 전화할 수 있게 되었습니다.

5 전화는 교환원이 있는 전화에서부터 유선 전화, 무선 전화, 스마트폰으로 발달해 왔습니다.

6 통신 수단의 발달로 외국에 있는 친구와도 얼굴을 보며 통화를 할 수 있게 되었고, 친구들과 휴대 전화로 과제를 의논할 수 있습니다.

4일 특별한 통신 수단

157쪽 개념 체크

1 농촌 2 경찰관 3 빨리

158~159쪽 개념 확인하기

1 ③ 2 ㉡ 3 (1) ㉡ (2) ㉠ (3) ㉢
4 ⑤

집중 연습 문제

5 (1) ○ 6 ㉡

- ㉠ ➡ 인터폰
- ㉡ ➡ 수신호
- ㉢ ➡ 마을 방송

풀이

1 농촌은 집이 모여 있지 않고, 주민들이 논밭에 나가서 일하는 시간이 많습니다. 그렇기 때문에 마을 방송을 이용해 소식을 전합니다.

2 아파트에서는 한 건물에 여러 집이 있기 때문에 인터폰을 사용해 빠르고 편리하게 연락을 합니다.

3 사람들은 하는 일에 맞게 다양한 통신 수단을 이용합니다. 경찰관은 무전기를 가지고 서로 출동해야 할 곳을 알리고, 할인점 직원은 무선 마이크를 이용해 많은 사람들에게 물건을 팔면서 상품을 설명합니다. 선생님은 학교에서 쪽지창을 활용해 공지 사항을 알립니다.

4 사람들은 일을 더욱 빠르고 편리하게 처리하기 위해 하는 일에 맞는 통신 수단을 활용합니다.

5 물속에서는 수신호를 사용해 의사소통을 합니다.

6 물속에서는 말을 하지 못하므로 간단한 수신호를 정해 소통합니다.

5일 4주 마무리하기

162~165쪽 마무리하기 문제

1 (1) ㉡, ㉢, ㉣ (2) ㉠, ㉤, ㉥ 2 ② 3 ㉠
4 전자 우편 5 예 여러 사람과 동시에 연락할 수 있다.
6 ⑤ 7 ㉠ 8 ③ 9 희열
10 ④ 11 (1) 아파트 (2) 인터폰

똑똑한 하루 퀴즈

12 ㉠ 서찰 ㉡ 편지

풀이

1 옛날 사람들은 평상시에 방, 서찰, 파발을 이용했고, 전쟁과 같은 위급 상황에는 북, 봉수, 신호 연등을 이용했습니다.

2 옛날에는 평상시에 많은 사람이 볼 수 있도록 방을 써서 붙여 소식을 전했습니다.

3 옛날의 통신 수단 중 봉수는 낮에는 연기, 밤에는 횃불을 이용해서 소식을 알렸고, 위급 상황에 사람보다 더 빨리 소식을 전할 수 있는 새를 이용하기도 했습니다.

4 오늘날에는 전자 우편을 이용하여 옛날보다 편리하게 소식을 전할 수 있습니다.

5 오늘날에는 모바일 메신저 등을 이용하여 여러 사람과 동시에 연락할 수 있습니다. 또한 통신 기계 하나를 이용해 다양한 통신 방법을 이용할 수 있으며, 여러 사람에게 빠르게 정보를 전달할 수 있습니다.

> **[인정 답안]**
>
> 여러 사람과 동시에 연락할 수 있다는 내용이 들어가면 정답으로 인정합니다.
>
> **인정 답안의 예**
>
> 모바일 메신저를 이용하여 여러 사람과 동시에 연락한다.

6 미래에는 음성을 인식해 스스로 주행하는 기능을 가진 자동차를 타고 다닐 것입니다.

> **[왜 틀렸을까?]**
>
> ①, ②, ③은 현재에도 볼 수 있는 사람들의 생활 모습입니다.

7 집에서는 친구들과 직접 만나지 않고 휴대 전화로 과제를 의논할 수 있습니다. 학교에서는 컴퓨터를 이용해 책에서 얻지 못하는 정보들을 얻을 수 있고, 직장에서는 인터넷 메신저를 사용하여 일을 합니다.

8 통신 수단의 발달로 직장에서는 화상 회의를 이용해 먼 곳에 있는 사람과 회의를 합니다.

9 오늘날에는 교환원이 없어도 상대방과 통화할 수 있습니다.

10 물속에서는 말을 할 수 없기 때문에 수신호를 이용해 생각을 전합니다.

11 아파트에서는 한 건물에 여러 집이 있기 때문에 인터폰을 사용해 빠르고 편리하게 연락을 합니다.

▲ 인터폰

12 옛날에는 서찰이라는 통신 수단을 활용하여 사람을 시켜 소식을 전했지만 오늘날에는 편지를 써서 소식을 전할 수 있습니다.

166~167쪽 누구나 100점 TEST

1 ④	**2** ③	**3** ⑤	**4** 휴대 전화
5 (1) ○ (2) × (3) ○		**6** ③	**7** ㉡
8 (2) ○	**9** ②	**10** 동민	

풀이

1 옛날 사람들은 위급 상황에 봉수, 새, 북, 신호 연 등을 이용했습니다.

> **[왜 틀렸을까?]**
>
> ① 가장 빠른 통신 수단은 ㉠입니다.
> ② 평상시에 이용했던 통신 수단은 ㉡, ㉢입니다.
> ③ 낮에는 연기, 밤에는 횃불을 이용해 소식을 전하던 통신 수단은 ㉠입니다.
> ⑤ 사람들이 많이 모이는 곳에 글을 써서 붙였던 통신 수단은 ㉢입니다.

2 옛날에는 사람을 시켜 직접 서찰을 보내기도 했습니다.

3 오늘날에는 텔레비전을 통해 운동 경기를 시청하거나 세계 각국의 정보를 얻습니다.

4 오늘날에는 휴대 전화를 이용해 친구와 약속을 정하기도 합니다.

5 오늘날에는 여러 사람에게 빠르게 정보를 전달할 수 있습니다.

6 통신 수단의 발달로 인해 학교에서는 수업 중에 컴퓨터로 정보를 얻을 수 있게 되었습니다.

7 통신 수단이 발달하면서 집에서 휴대 전화를 이용해 물건을 사거나, 친구와 과제를 의논할 수 있습니다.

8 한 건물에 여러 집이 있는 아파트에서는 빠르고 편리하게 연락하기 위해 인터폰을 이용합니다.

9 무선 전화로 이동하면서 전화할 수 있습니다.

10 많은 사람에게 큰 소리로 물건을 판매하는 할인점 직원은 무선 마이크를 주로 이용합니다.

풀이

❶ 오늘날에는 휴대 전화, 텔레비전, 화상 회의와 같은 통신 수단을 이용해 정보를 얻거나 소식을 전합니다. 새를 날려 보내거나 사람이 많이 모이는 곳에 방을 붙이는 것은 옛날의 통신 수단입니다.

170~171쪽 논리 탄탄 코딩

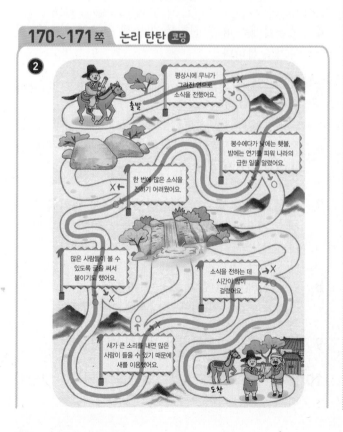

❸ (1)

(2) 석진

풀이

❷ 옛날에는 위급할 때 신호 연, 북, 새, 봉수 등을 이용했습니다.

❸ (1) 오늘날에는 텔레비전을 이용해 세계 각국의 정보를 얻을 수 있습니다.
　(2) 우체국을 통해 편지를 보내면 소식을 전할 수 있습니다.

172~173쪽 논리 탄탄 코딩

❹ 봉수

❺

1	5	2	3	5	6	7
4	3	7	4	1	1	5
2	1	7	5	7	1	6
6	3	7	1	3	3	4
1	5	3	1	7	2	3
3	3	5	7	6	1	7
7	1	3	4	7	3	1

풀이

❹ 봉수는 옛날 사람들이 위급 상황에서 이용했던 통신 수단입니다. 가장 빠른 통신 수단이었으며, 낮에는 연기를 이용했고 밤에는 횃불을 이용해 소식을 전했습니다.

❺ 물속에서는 수신호를 통해 의사소통을 하며, 자전거와 자동차는 오늘날의 교통수단입니다.

水 漁 之 交

물 ······· 물고기 ······· 갈 ······· 사귈 ·······
수 어 지 교

물고기에게 물은 정말 소중한 존재이지요.
수어지교란 물고기와 물의 관계처럼,
아주 친밀하여 떨어질 수 없는 사이
또는 깊은 우정을 일컫는 말이랍니다.

배움으로 행복한 내일을 꿈꾸는
천재교육 커뮤니티 안내 · · ·

 교재 안내부터 구매까지 한 번에!
천재교육 홈페이지

자사가 발행하는 참고서, 교과서에 대한 소개는 물론
도서 구매도 할 수 있습니다. 회원에게 지급되는 별을 모아
다양한 상품 응모에도 도전해 보세요!

 다양한 교육 꿀팁에 깜짝 이벤트는 덤!
천재교육 인스타그램

천재교육의 새롭고 중요한 소식을 가장 먼저 접하고 싶다면?
천재교육 인스타그램 팔로우가 필수!
깜짝 이벤트도 수시로 진행되니 놓치지 마세요!

 수업이 편리해지는
천재교육 ACA 사이트

오직 선생님만을 위한, 천재교육 모든 교재에 대한 정보가 담긴
아카 사이트에서는 다양한 수업자료 및 부가 자료는 물론
시험 출제에 필요한 문제도 다운로드하실 수 있습니다.

https://aca.chunjae.co.kr

 천재교육을 사랑하는 샘들의 모임
천사샘

학원 강사, 공부방 선생님이시라면 누구나 가입할 수 있는 천사샘!
교재 개발 및 평가를 통해 교재 검토진으로 참여할 수 있는 기회는 물론
다양한 교사용 교재 증정 이벤트가 선생님을 기다립니다.

 아이와 함께 성장하는 학부모들의 모임공간
튠맘 학습연구소

튠맘 학습연구소는 초·중등 학부모를 대상으로 다양한 이벤트와 함께
교재 리뷰 및 학습 정보를 제공하는 네이버 카페입니다.
초등학생, 중학생 자녀를 둔 학부모님이라면 튠맘 학습연구소로 오세요!